하루 한 장 60일 집중 완성

# 교과도형

7세 ~ 초1

# P1

입체 모양 알기

# 에듀히어로
Edu HERO

## "진짜 히어로는 우리 아이들입니다!"

에듀히어로는
우리 아이들이 밝고 건강한 내일을 꿈꿀 수 있도록
긍정적이고 효과적인 교육 서비스를 제공하는 것을
최우선 목표로 하고 있습니다.

그 존재만으로도 든든한 히어로처럼 아이들의 곁에서 힘이 되어주고,
나아가 아이들 각자가 스스로의 인생 속 히어로가 될 수 있도록

우리는 진심과 열정을 다해 아이들과 함께 할 것을 약속 드립니다.

**네이버 카페**

교재 상세 소개와 진단 테스트
및 유용하게 풀 수 있는
학습 자료를 다운로드 해 보세요.

**인스타그램**

에듀히어로 인스타그램을
팔로우하시면 다양한 이벤트와
신간 소식을 빠르게 만나보실
수 있습니다.

**카카오톡 채널**

자녀 수학 공부 상담 및
자유로운 질문을 남겨 주세요.
함께 고민하고
답변해 드리겠습니다.


## 히어로컨텐츠 HEROCONTENTS

**발행일**: 2023년 12월 **발행인**: 이예찬

**기획개발**: 두줄수학연구소

**디자인**: 4BD STUDIO **삽화**: 1000DAY

**발행처**: 히어로컨텐츠



**주소**: 서울특별시 금천구 서부샛길 632, 7층(대륭테크노타운5차)

**전화**: 02-862-2220 **팩스**: 02-862-2227

**지원카페**: cafe.naver.com/eduherocafe **인스타그램**: @edu_ _hero

## 하루 한 장 60일 집중 완성 교과도형은

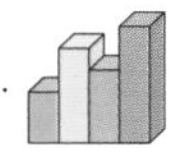

달라진 교과서와 학교 수업 진도에 맞추어 학습자가 체계적으로 도형을 학습할 수 있도록 안내합니다.

이전의 도형 학습이 도형의 정의와 성질을 외우고, 도형의 측정결과를 계산하는 '결과' 중심의 학습이었다면 지금의 도형 학습은 공간에 대한 이해와 해석(공간감각)을 바탕으로 모양을 인식하고 변화를 유추하고 다양한 방법으로 도형을 측정하고 그 결과를 표현하는 '과정' 중심의 학습입니다.

교과도형은 수학교육의 변화와 핵심을 이해하고 올바른 방향을 제시해 주는 든든한 길잡이가 될 것입니다.

## 하루 한 장 60일 집중 완성 교과도형은

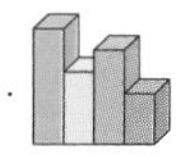

① 공간감각 ② 도형표현 ③ 도형측정을 중심으로 교과서에서 다루는 모든 도형을 체계적으로 학습합니다.

### 공간감각

도형을 효과적으로 학습하기 위해서는 공간을 이해하고 해석하는 능력, 즉 '공간감각'이 필요합니다.

공간감각은 경험과 상상력을 바탕으로 머릿속에서 도형을 조작하고 결과를 유추하는 능력입니다. 공간감각은 단시간에 길러지지 않으므로 어릴 때부터 꾸준하게 학습하고 구체적인 경험을 쌓는 것이 중요합니다.

'교과도형'의 각 권 마지막에 있는 '도형플러스'는 각 권의 학습목표와 연계하여 공간감각을 한 단계 더 높여줄 수 있는 내용으로 구성하였습니다.

### 도형표현

공간에 존재하는 도형은 표현되었을 때 더 큰 의미를 가집니다.

- 삼각형을 찾는 것에서 그치지 않고 다양한 삼각형을 직접 그려 보고 왜 삼각형인지 설명하는 것
- 쌓기나무로 만든 모양을 위치와 방향을 이용하여 설명하는 것
- 도형을 여러 가지 기준과 특징에 따라 분류하고 왜 그렇게 분류했는지 설명하는 것
- 도형을 위·앞·옆에서 바라보고 그 모습을 그림으로 표현하는 것 등이 모두 '도형표현'입니다.

'교과도형'은 도형과 관련한 작은 그림에서부터 서술형 문장제까지 도형을 표현하는 다양한 방법을 효과적으로 학습합니다.

### 도형측정

측정은 도형과 아주 밀접한 관계가 있으므로 도형을 학습하면서 반드시 함께 다루어야 하는 영역입니다.

길이, 각도, 둘레, 넓이, 부피 등 흔히 '도형' 영역이라 생각하는 것이 사실 초등 교육과정에서는 '측정' 영역에 해당합니다. 사각형을 학습하는 것은 도형이지만 사각형의 둘레와 넓이를 구하는 것은 측정입니다. 각의 종류를 학습하는 것은 도형이지만 각도를 재는 것은 측정입니다. 이처럼 길이, 각도, 둘레, 넓이, 부피 등은 결국 도형을 측정하는 것입니다.

'교과도형'은 교과서의 모든 '도형' 영역을 다루었습니다. 여기에 도형과 반드시 연계하여 학습해야 하는 '측정' 영역을 추가로 다루어 더욱 완성된 도형 학습을 할 수 있도록 도와줍니다.

## 하루 한 장 60일 집중 완성 교과도형은 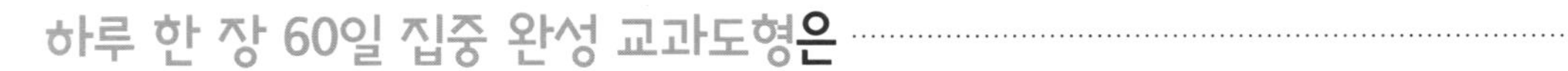 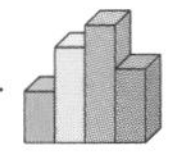

7세부터 6학년까지 총 7단계 21권(단계별 3권)으로 구성되어 있으며 각 권은 매일 한 장씩 4주간 체계적으로 학습할 수 있습니다.

1권, 20일

2권, 20일

3권, 20일

| 대 상 | 단 계 | 구 성 |
|---|---|---|
| 7세 ~ 1학년 | P | P1, P2, P3 |
| 1학년 | A | A1, A2, A3 |
| 2학년 | B | B1, B2, B3 |
| 3학년 | C | C1, C2, C3 |
| 4학년 | D | D1, D2, D3 |
| 5학년 | E | E1, E2, E3 |
| 6학년 | F | F1, F2, F3 |

교과도형의 각 단계는 1, 2, 3권을 차례대로 학습합니다.

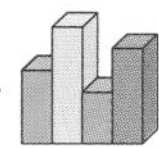

## 교과도형, 한 권이면 충분합니다

교과도형은 공간감각, 도형표현, 도형측정을 중심으로 교과서에서 다루는 모든 도형을 학습하고,
공간감각 향상을 위한 '도형플러스'와 학습 결과를 확인하는 '형성평가'를 제공합니다.

## 1 주차별 학습

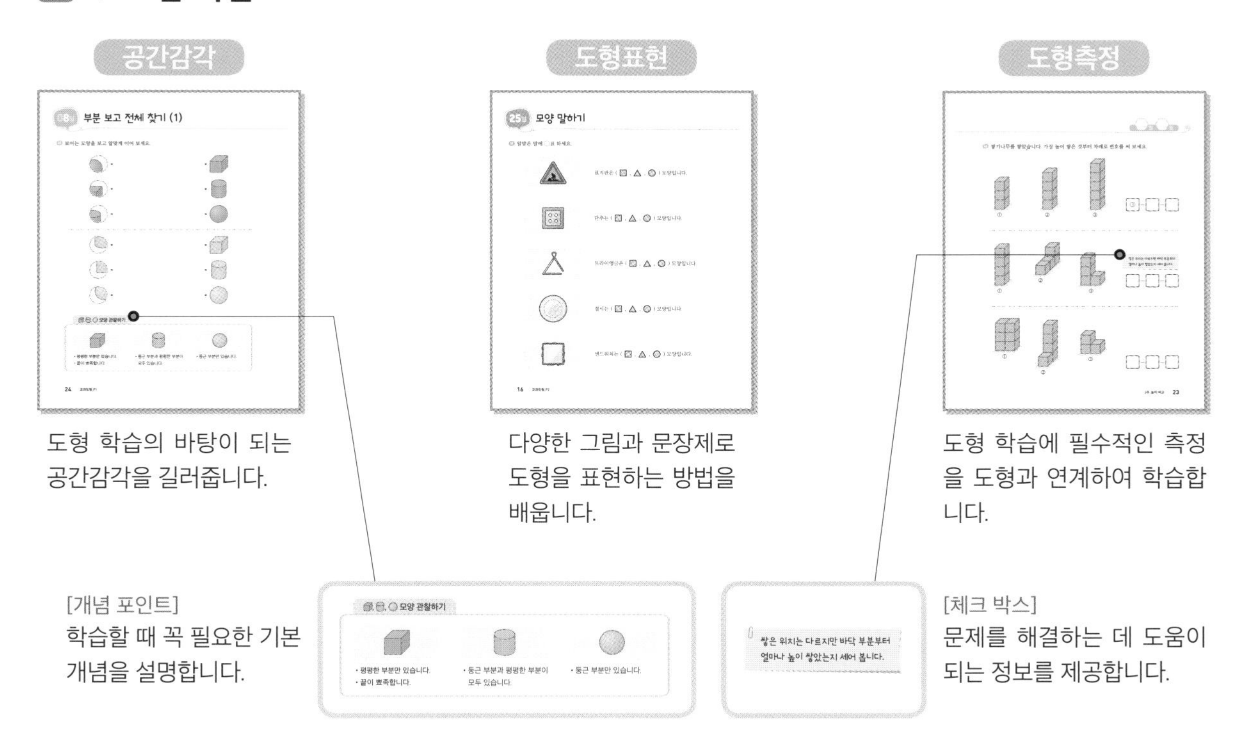

공간감각

도형 학습의 바탕이 되는 공간감각을 길러줍니다.

도형표현

다양한 그림과 문장제로 도형을 표현하는 방법을 배웁니다.

도형측정

도형 학습에 필수적인 측정을 도형과 연계하여 학습합니다.

[개념 포인트]
학습할 때 꼭 필요한 기본 개념을 설명합니다.

[체크 박스]
문제를 해결하는 데 도움이 되는 정보를 제공합니다.

## 2 도형플러스

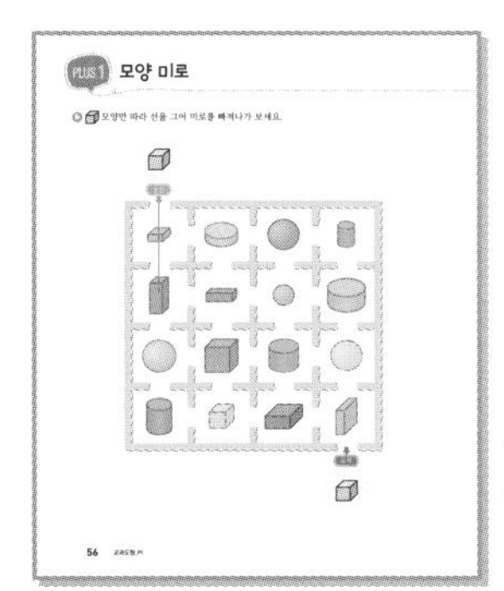

각 권의 학습 주제와 연계하여 공간감각을 더욱 향상시킵니다.

## 3 형성평가

학습한 내용을 다시 한 번 복습하고 정리합니다.

# 이 책의 차례

1주차
01~05일

# , , 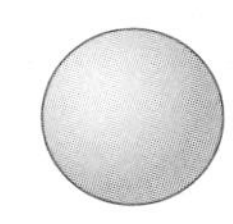 모양

# 01일 같은 모양 찾기

왼쪽 모양과 같은 모양에 ◯표 하세요.

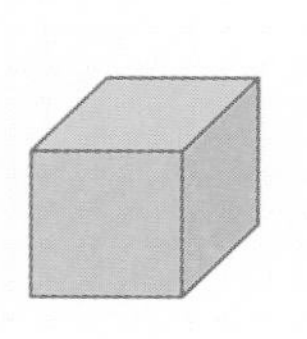

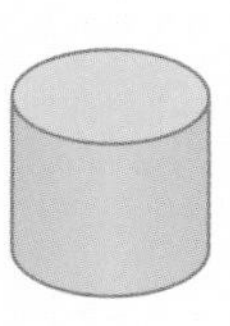

**▢, ▢, ◯ 모양**

▢ 모양

- 네모난 상자 모양입니다.
- 모든 부분이 평평합니다.
- 뾰족한 곳이 있습니다.

▢ 모양

- 둥근 기둥 모양입니다.
- 둥근 부분과 평평한 부분이 모두 있습니다.

◯ 모양

- 공 모양입니다.
- 모든 부분이 둥급니다.

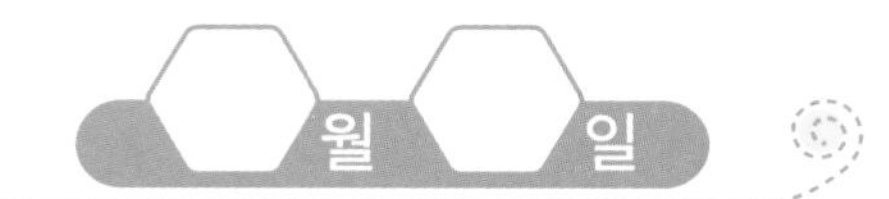


왼쪽 모양과 같은 모양에 ◯표 하세요.

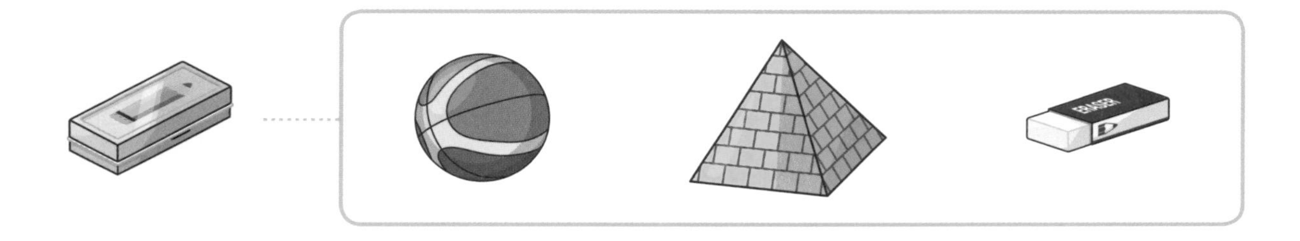


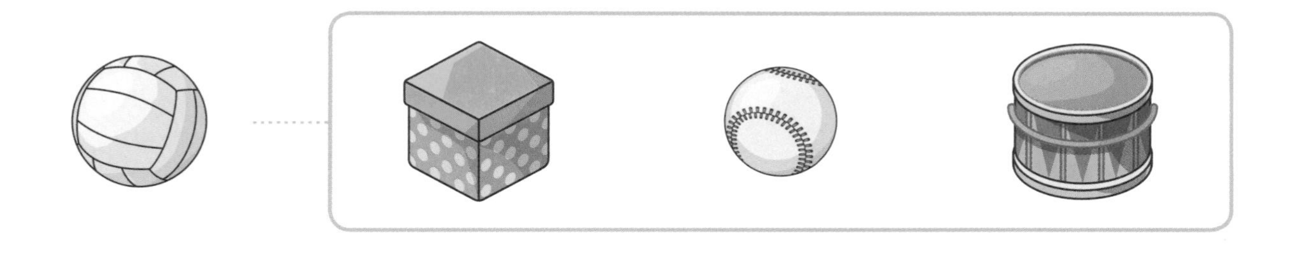

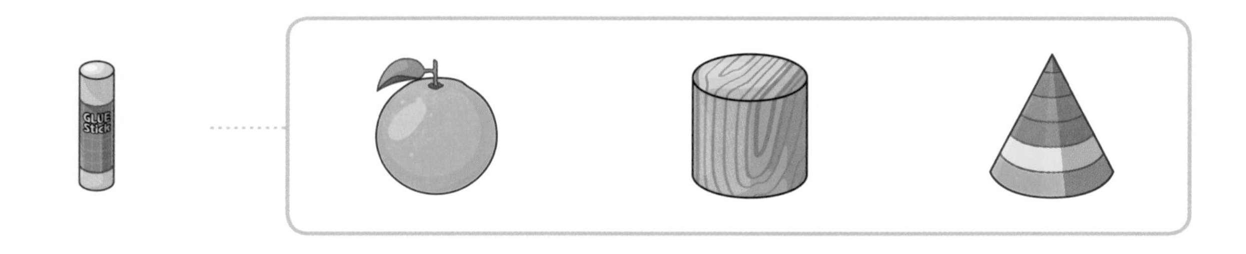

# 02일 같은 모양 잇기

같은 모양끼리 이어 보세요.

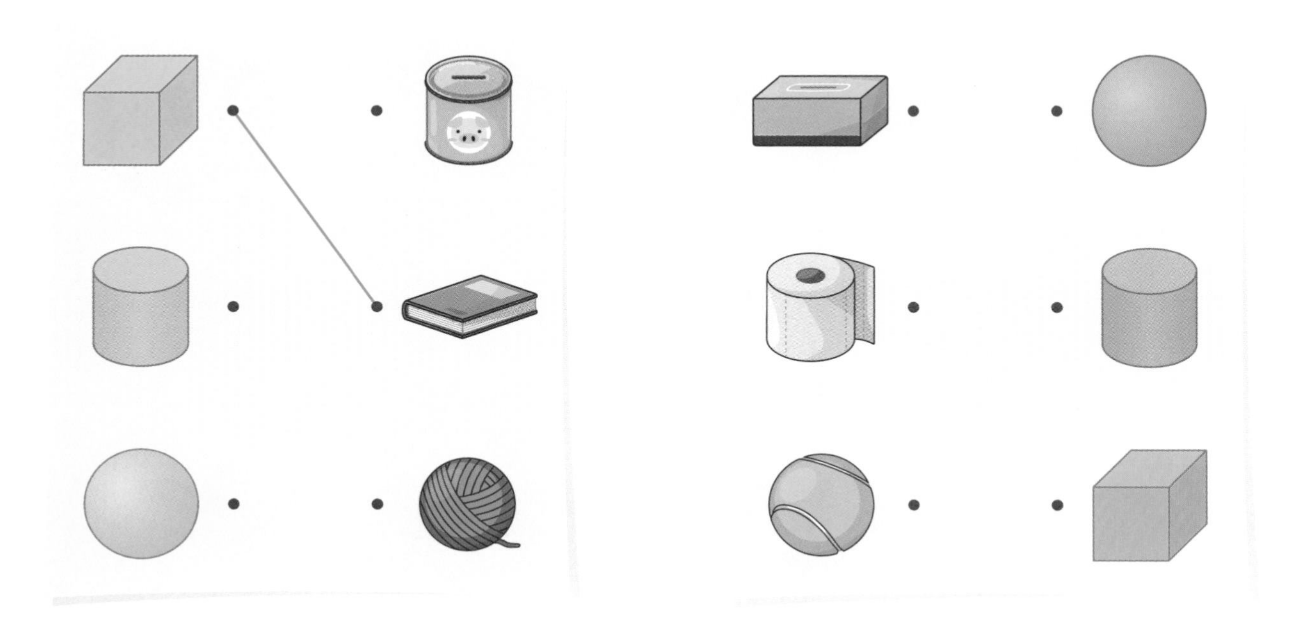

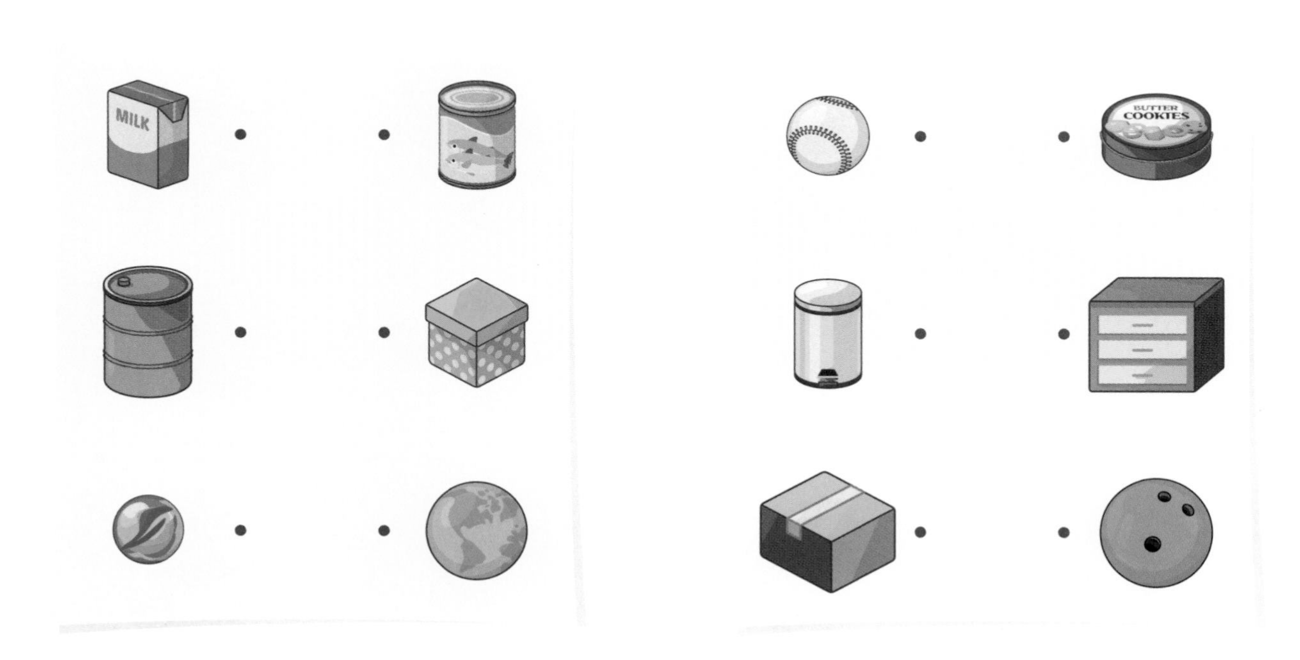

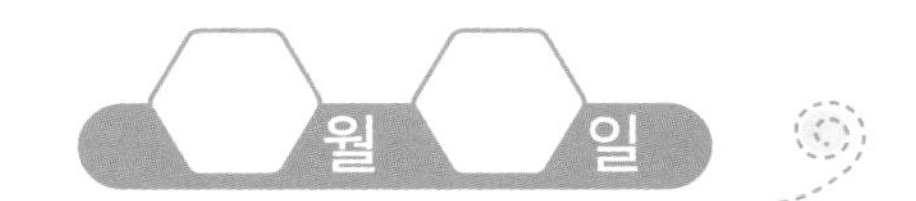


같은 모양끼리 이어 보세요.

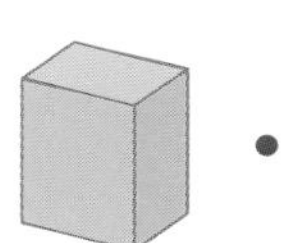  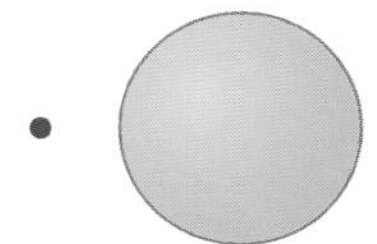

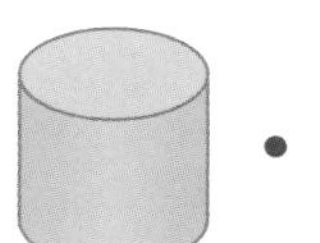 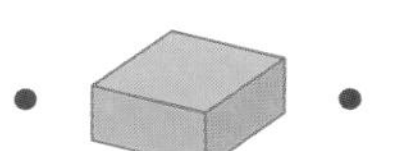 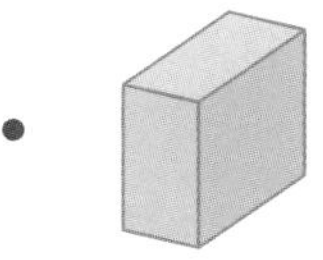

  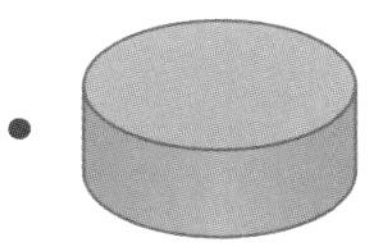

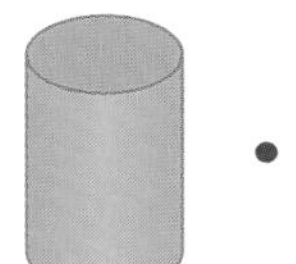 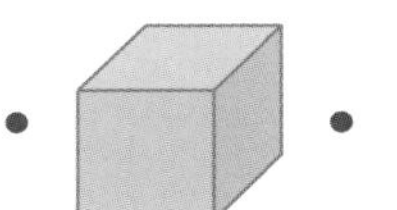 

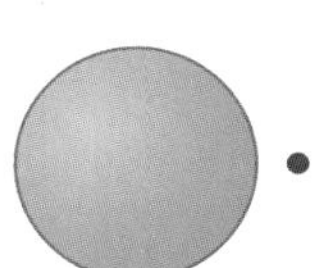 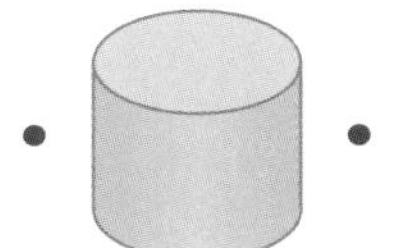 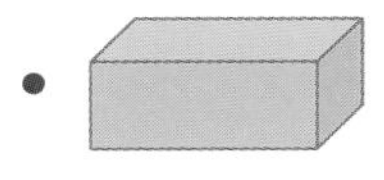

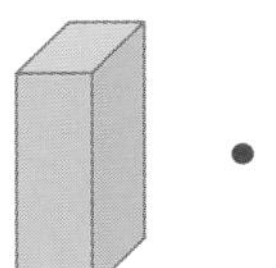  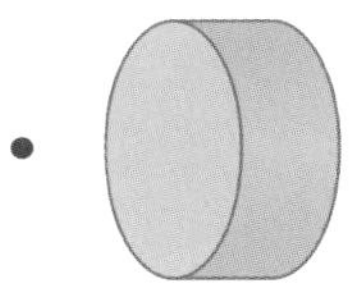

# 같은 모양 짝짓기

같은 모양 2개를 찾아 각각 ◯표 하세요.

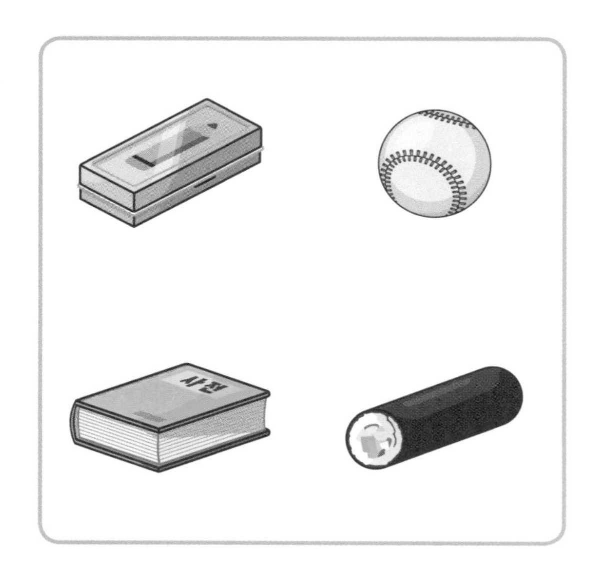

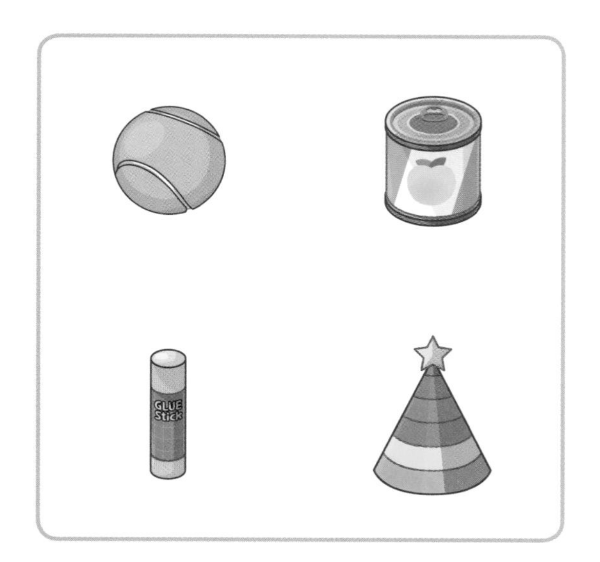


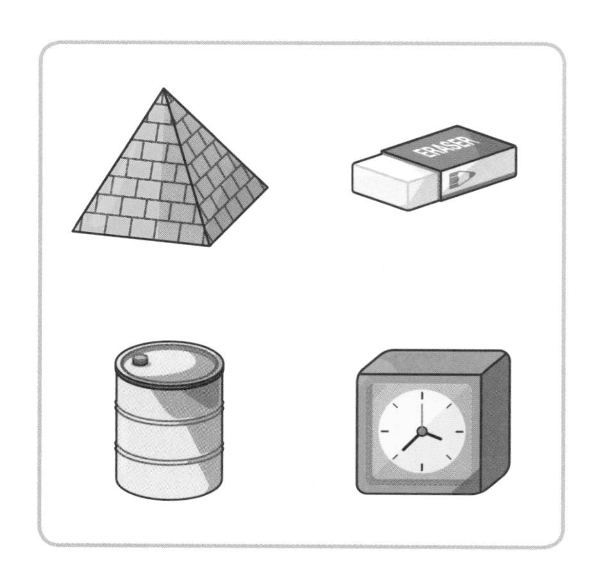

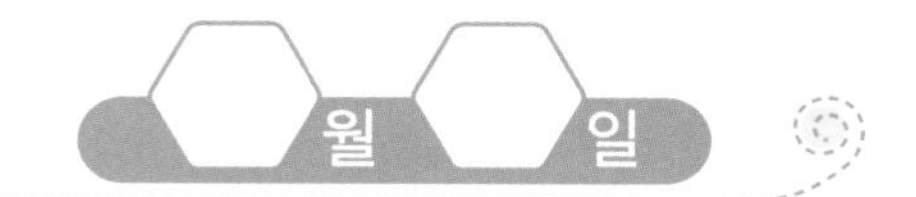


같은 모양 2개를 찾아 각각 ◯표 하세요.

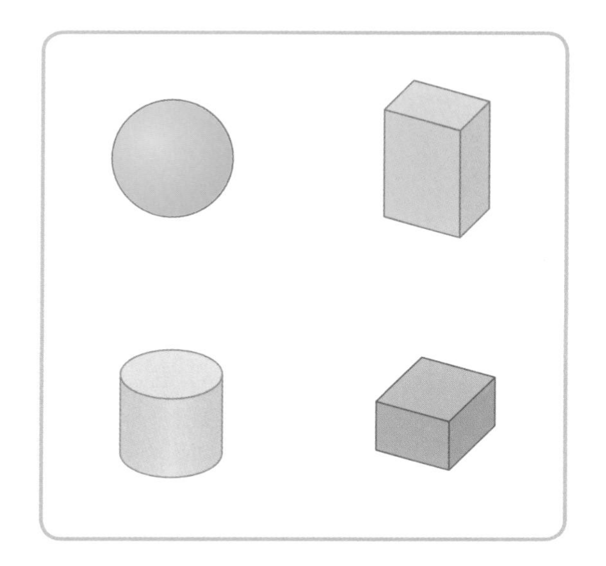

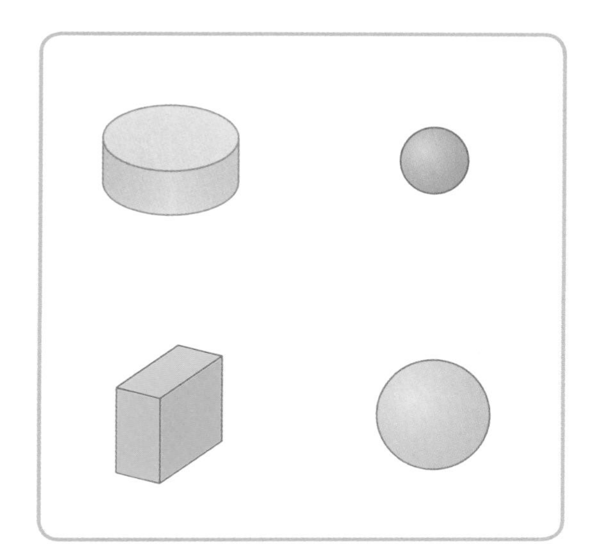

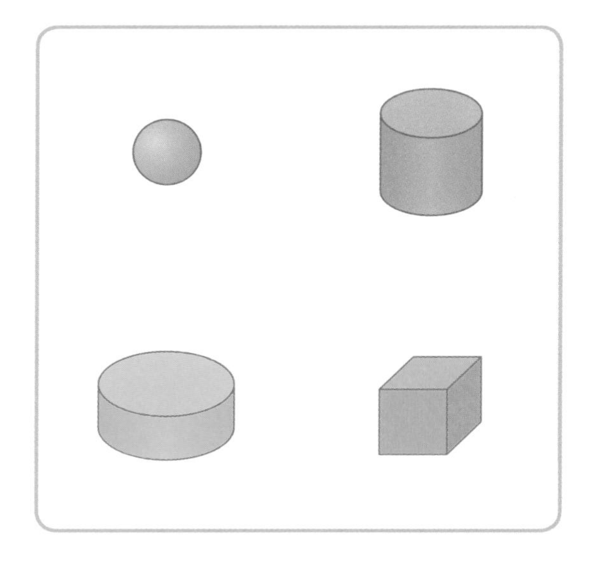

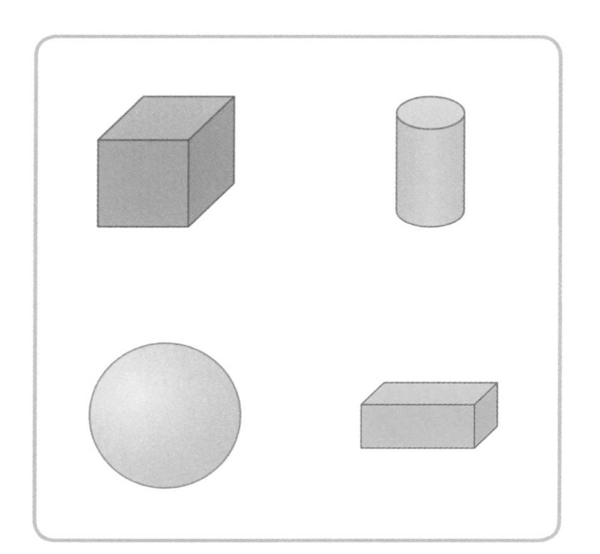

# 04일 모양 구분하기

1 ▢ 모양에는 □표, ▢ 모양에는 △표, ◯ 모양에는 ○표 하세요.

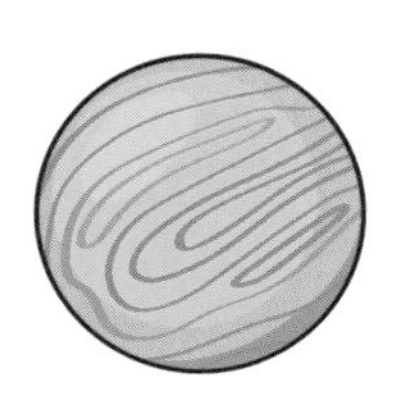

( ○ )

(      )

(      )

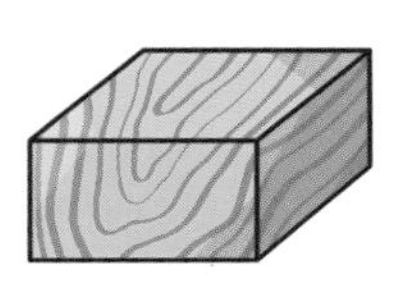

(      )

(      )

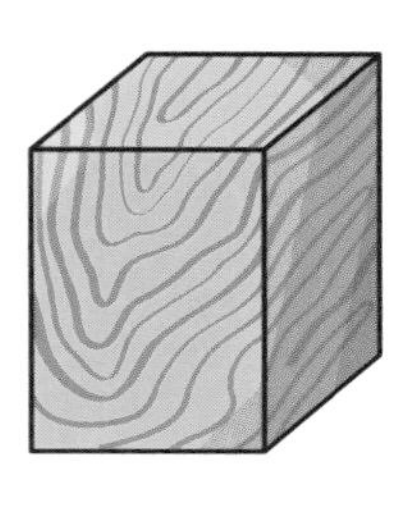

(      )

(      )

(      )

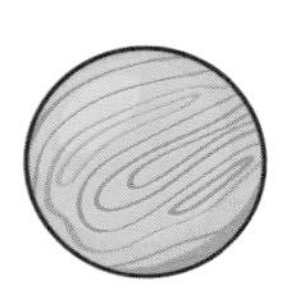

(      )

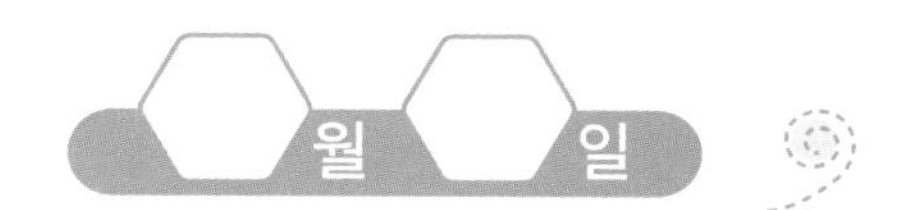


11 모양에는 □표, 모양에는 △표, 모양에는 ○표 하세요.

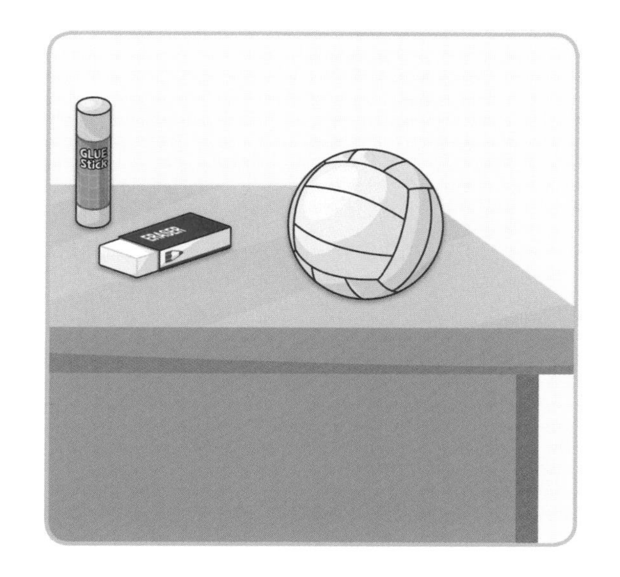


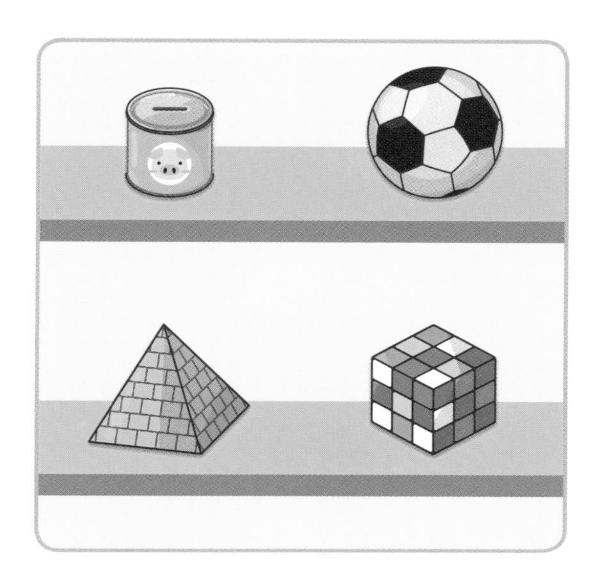

# 모양 말하기

알맞은 말에 ◯표 하세요.

통조림은 (  ,  ,  ) 모양입니다.

상자는 (  ,  ,  ) 모양입니다.

축구공은 (  ,  ,  ) 모양입니다.

케이크는 (  ,  ,  ) 모양입니다.

공은 (  ,  ,  ) 모양입니다.

알맞은 말에 ◯표 하세요.

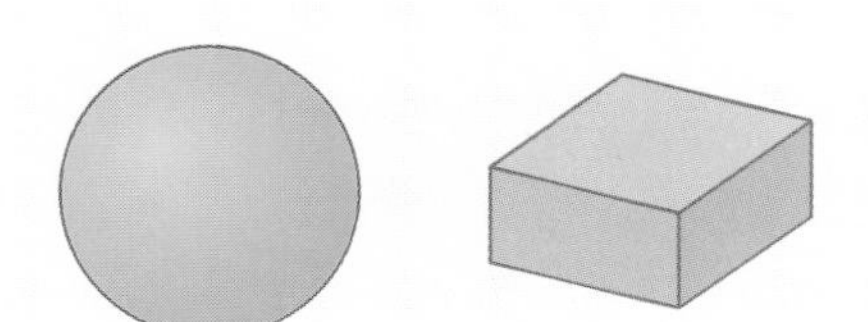

은 ( , , ) 모양입니다.

은 ( , , ) 모양입니다.

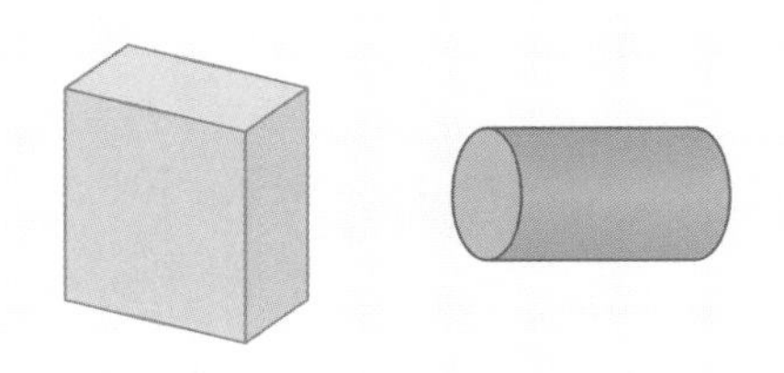

은 ( , , ) 모양입니다.

은 ( , , ) 모양입니다.

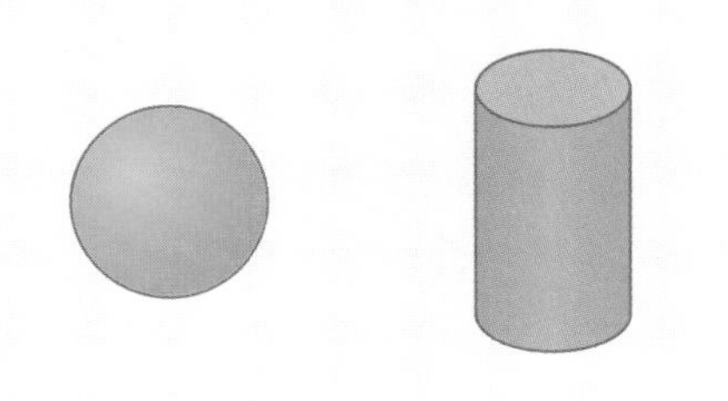

은 ( , , ) 모양입니다.

은 ( , , ) 모양입니다.

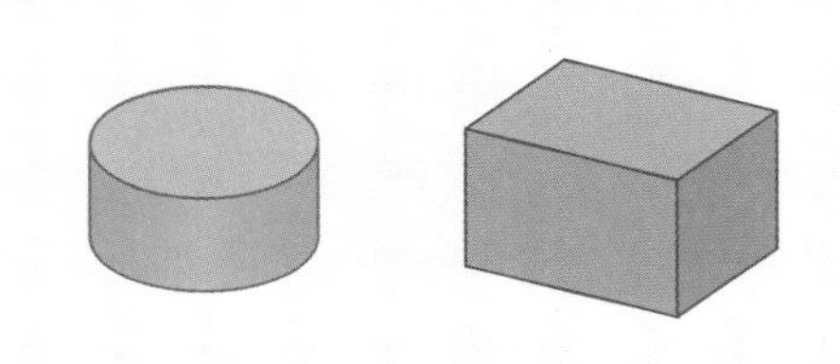

은 ( , , ) 모양입니다.

은 ( , , ) 모양입니다.

승기와 민아가 가지고 있는 물건입니다. 알맞은 말에 ◯표 하세요.

승기가 가지고 있지 않은 물건의 모양은 (  ,  ,  ) 모양입니다.

민아가 가지고 있지 않은 물건의 모양은 (  ,  ,  ) 모양입니다.

승기와 민아가 모두 가지고 있는 물건의 모양은 (  ,  ,  ) 모양입니다.

2주차
06~10일

# 모양 관찰

# 점선 따라 그리기

점선을 따라 여러 가지 모양을 그려 보세요.

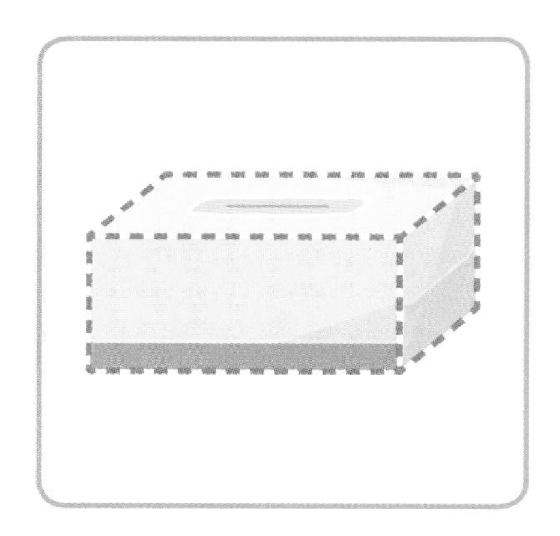

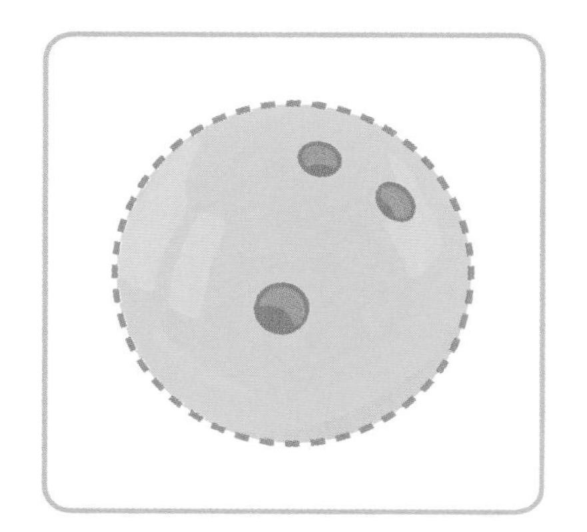

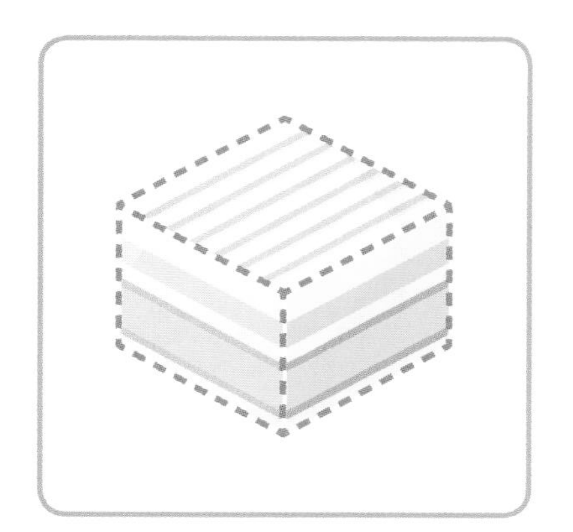

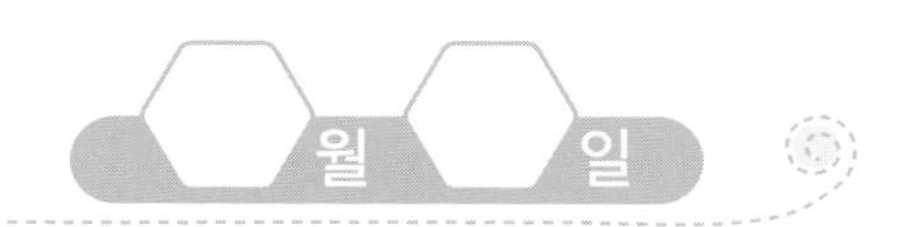


점선을 따라 여러 가지 모양을 그려 보세요.
 모양에는 □표,  모양에는 △표,  모양에는 ○표 하세요.

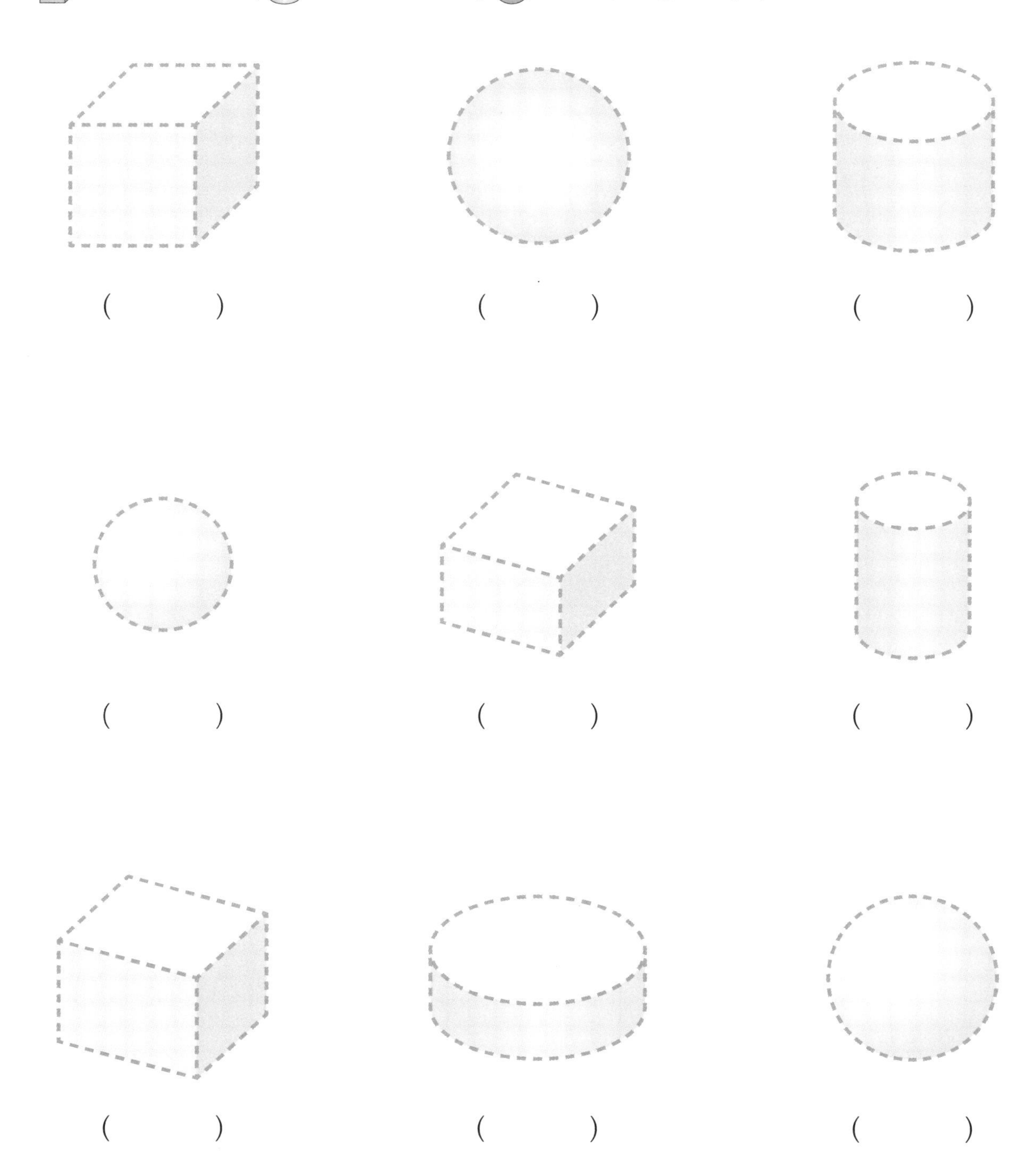

07일

# 모양 그리기

입체 모양을 그리고 있습니다. 빠진 선을 그어 모양을 완성하고, 알맞은 모양에 ◯표 하세요.

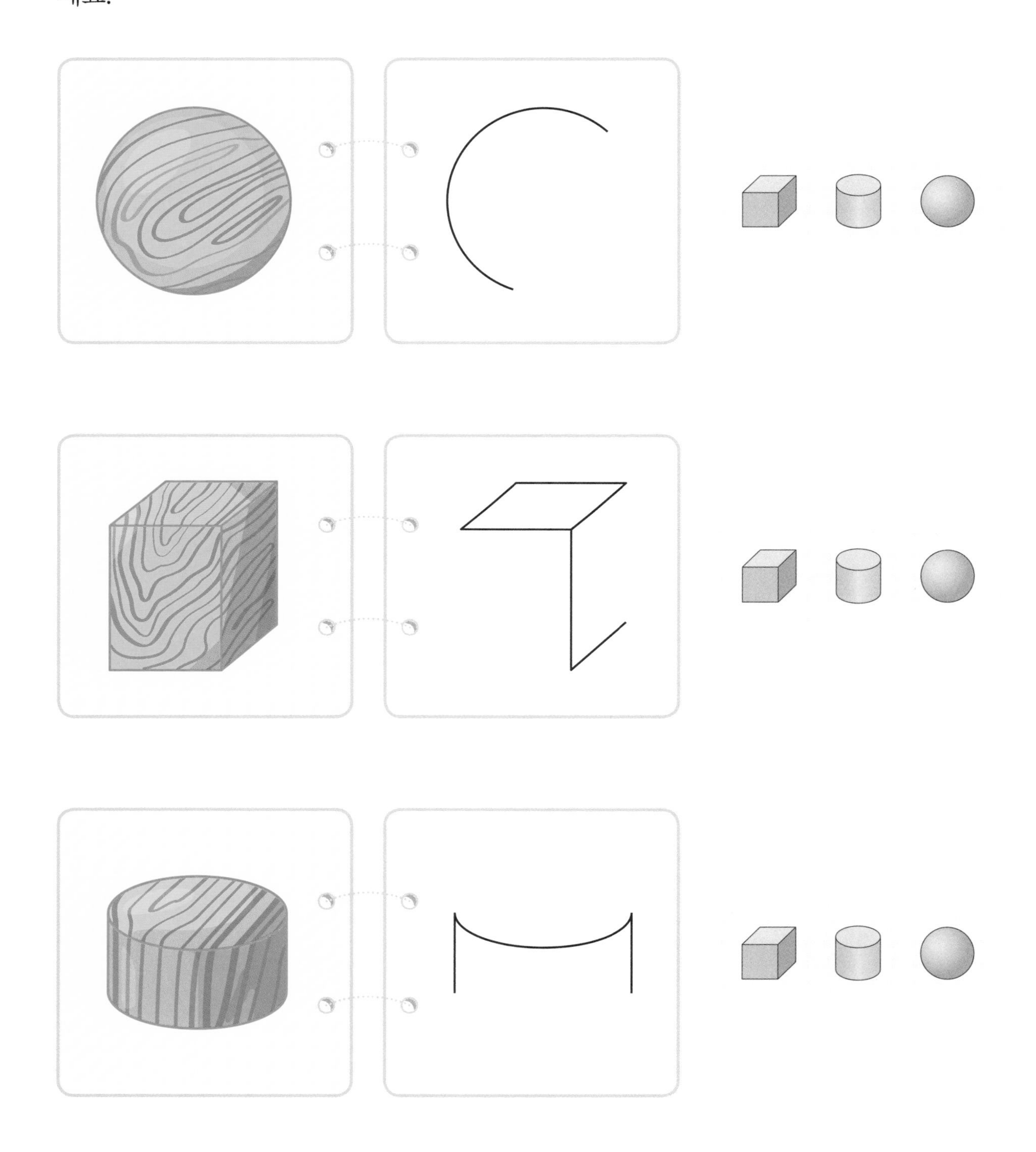

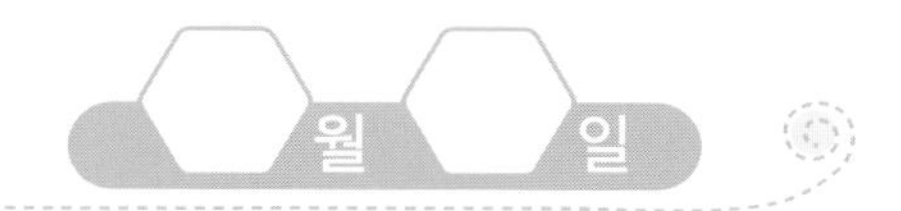


왼쪽 모양을 똑같이 그리고, 알맞은 모양에 ◯표 하세요.

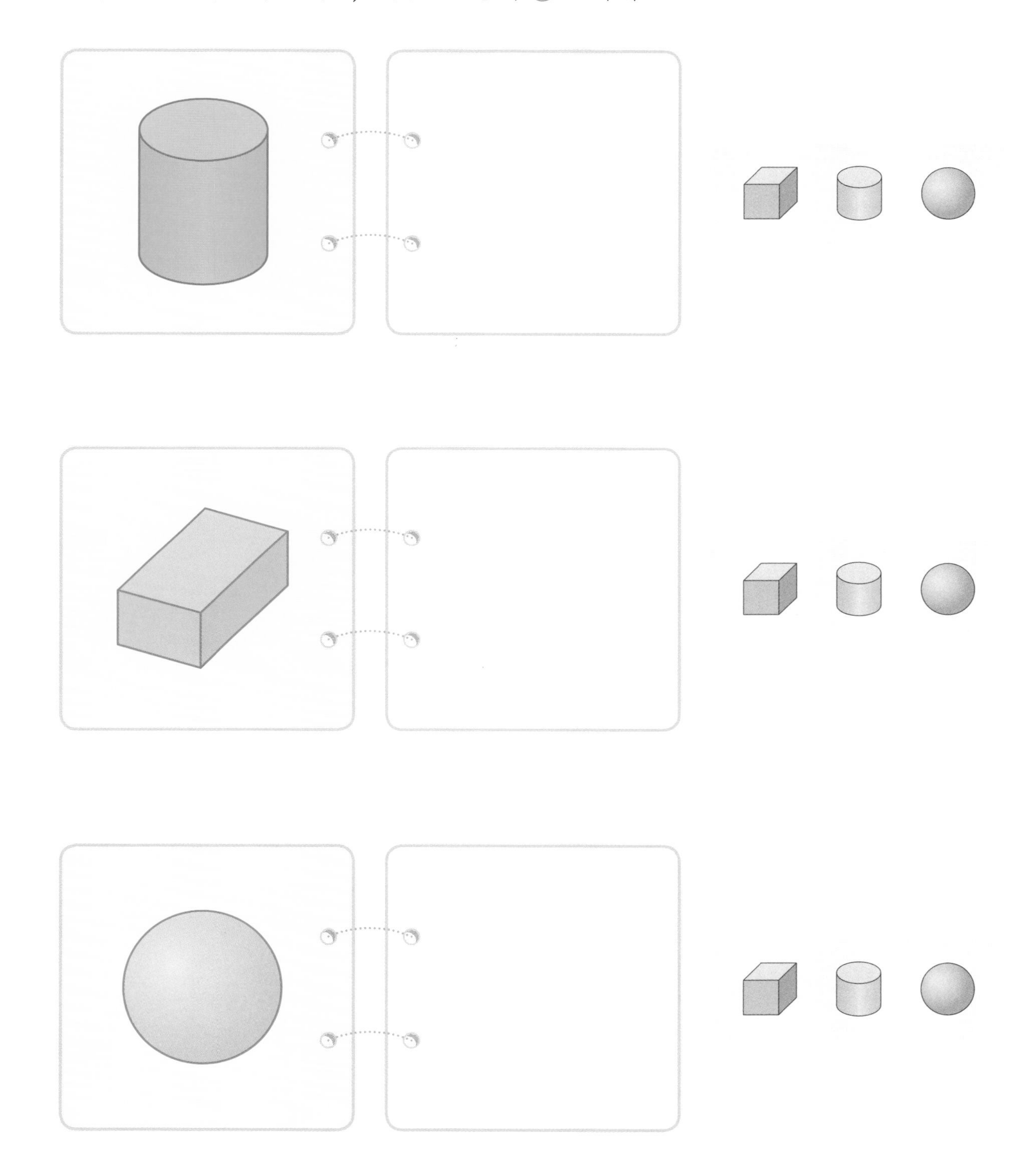

# 08일 부분 보고 전체 찾기 (1)

보이는 모양을 보고 알맞게 이어 보세요.

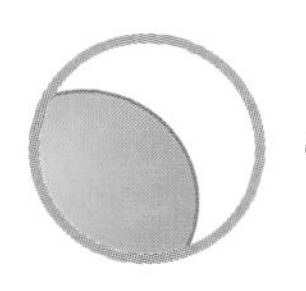 • • 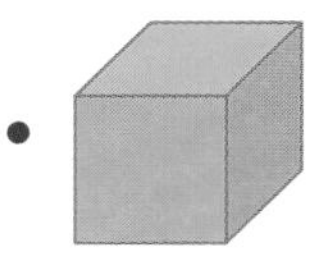

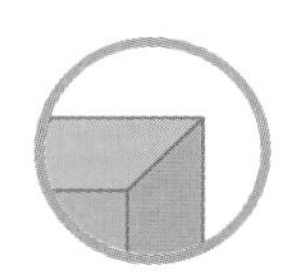 • • 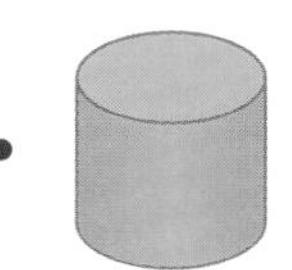

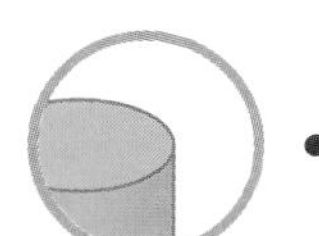 • • 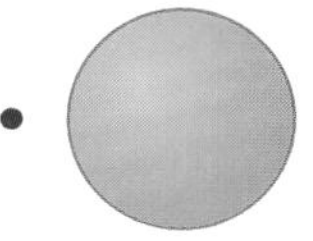

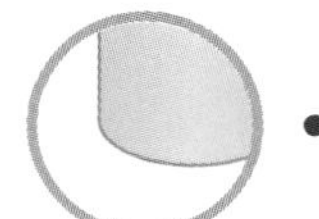 • • 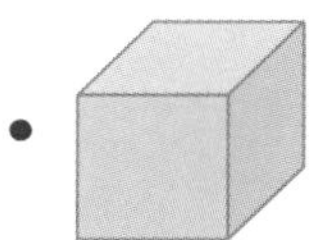

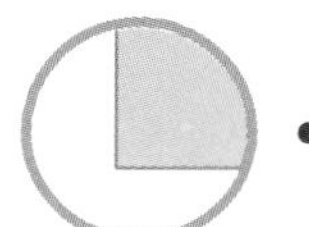 • • 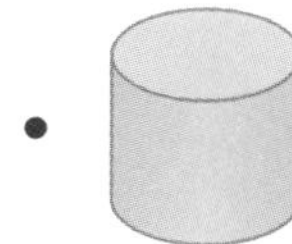

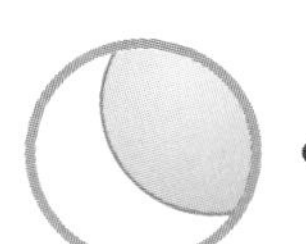 • • 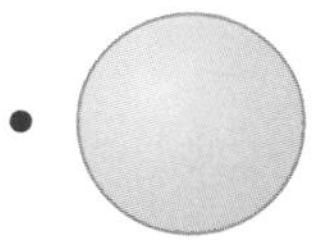

### ▢, ▢, ◯ 모양 관찰하기

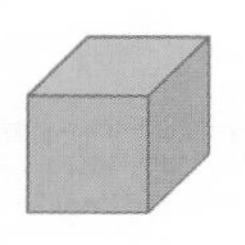

- 평평한 부분만 있습니다.
- 끝이 뾰족합니다.

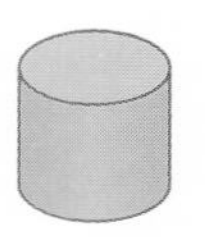

- 둥근 부분과 평평한 부분이 모두 있습니다.

- 둥근 부분만 있습니다.

모양에 알맞은 물건을 모두 찾아 이어 보세요.

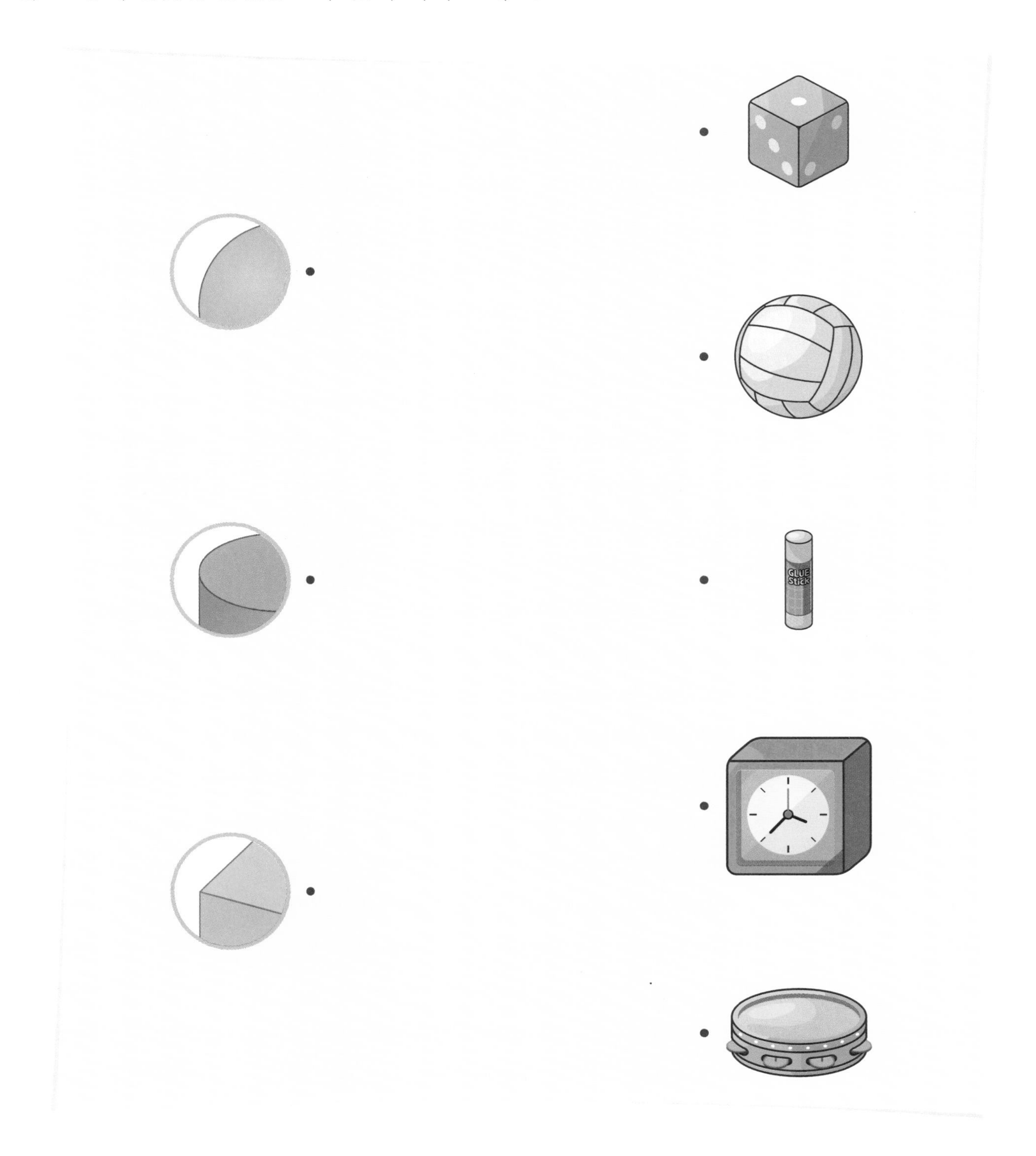

# 09일 부분 보고 전체 찾기 (2)

보이는 모양을 보고 알맞은 모양에 ○표 하세요.

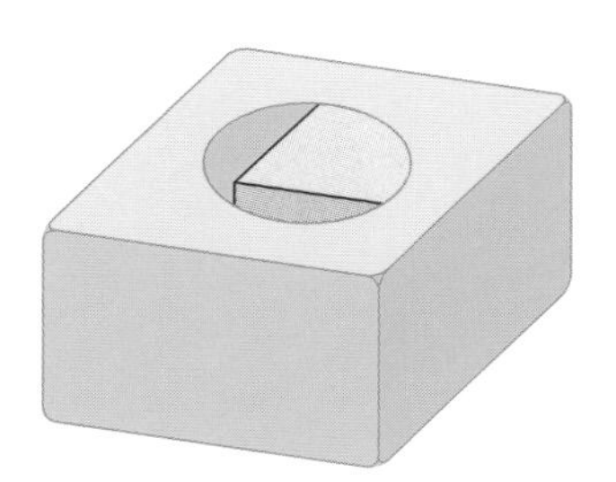

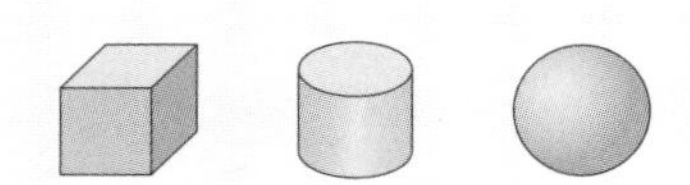

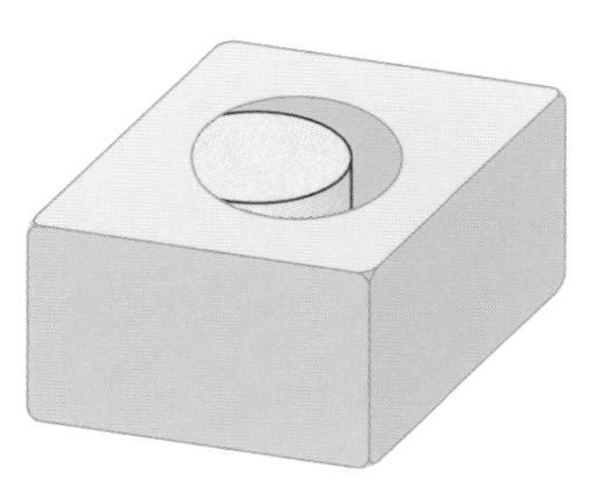

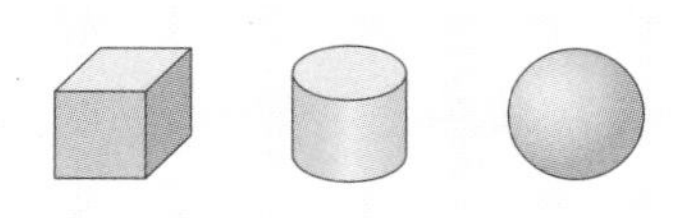

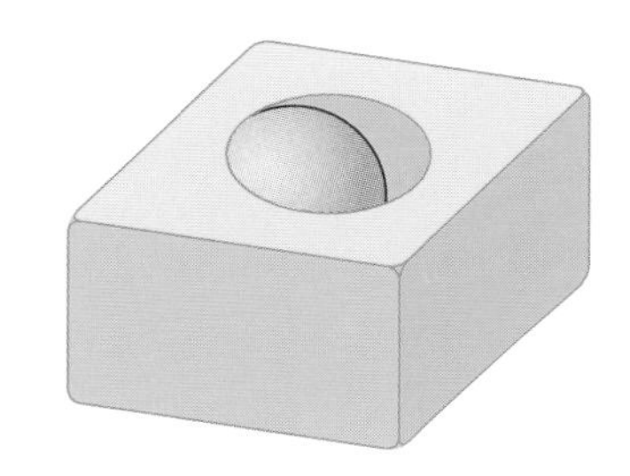

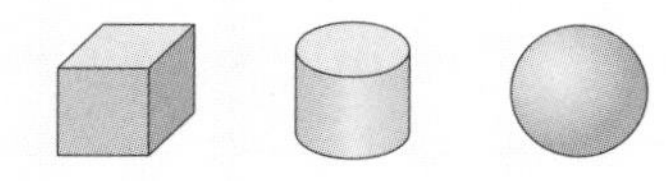

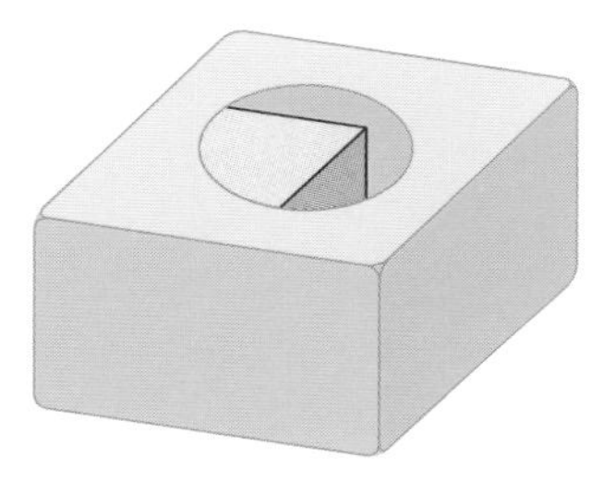

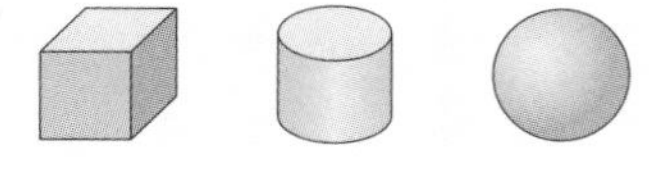

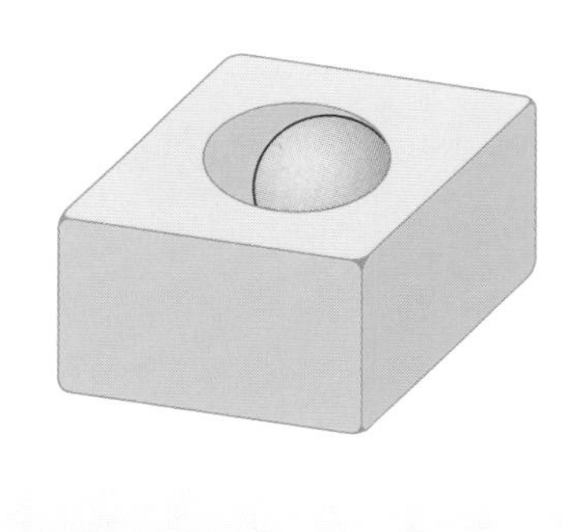

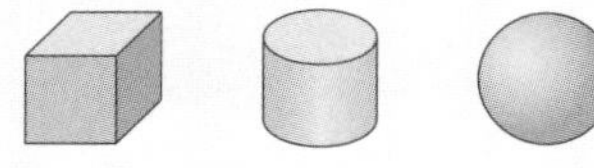

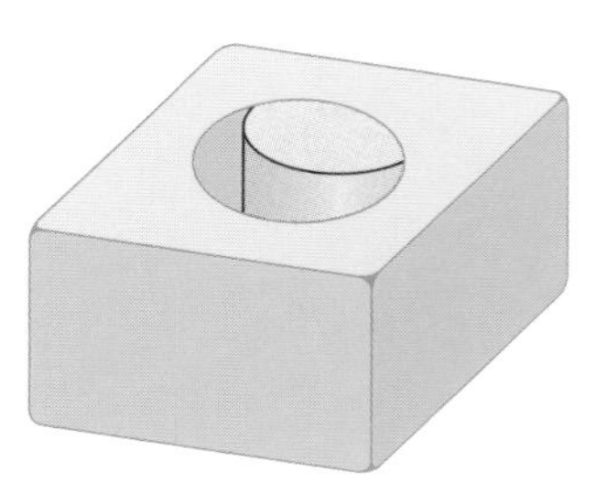

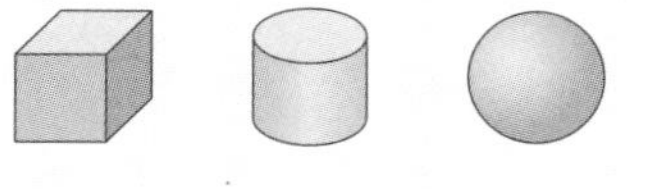

모양에 알맞은 물건을 찾아 ◯표 하세요.

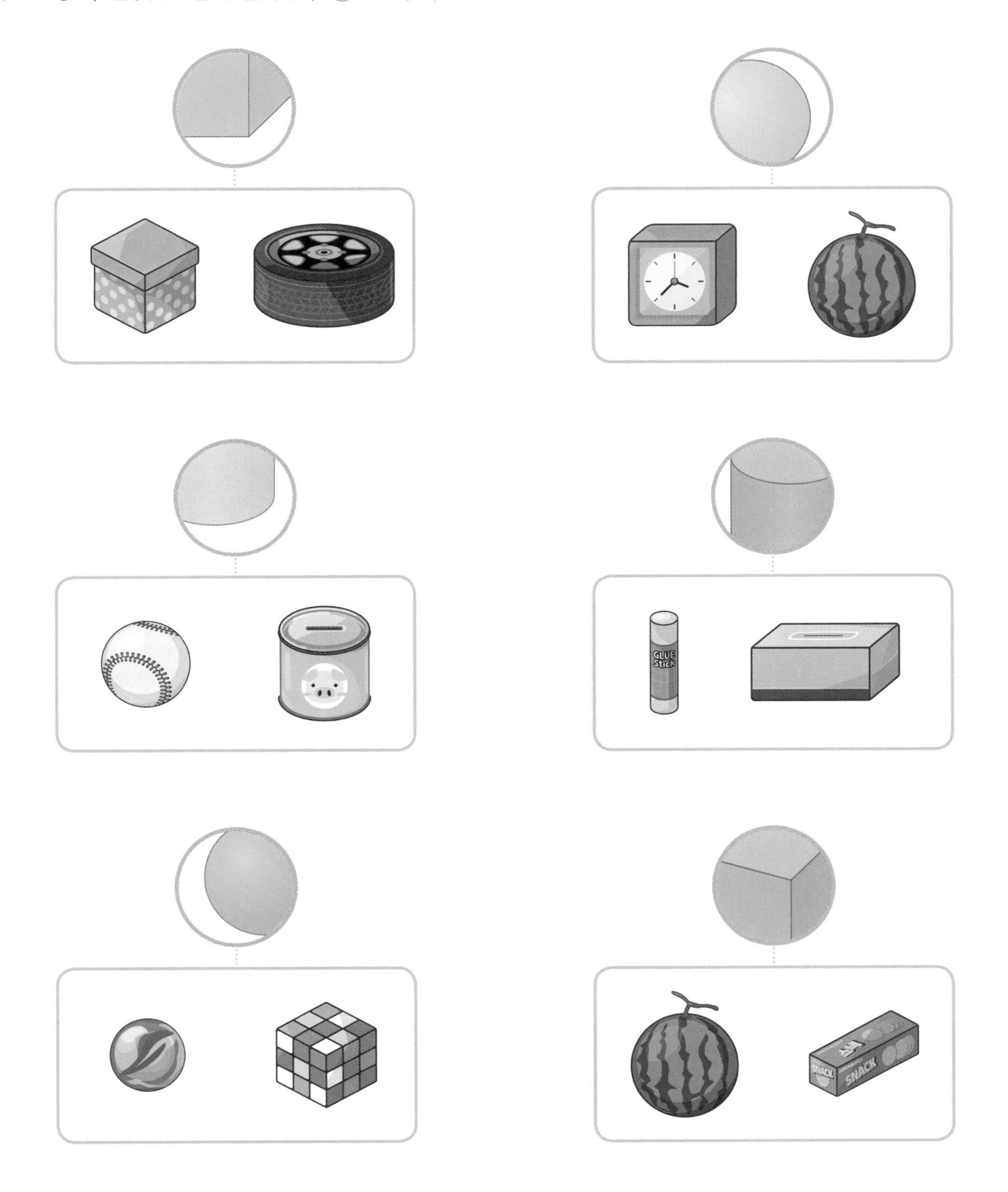

# 10일 전체와 부분

왼쪽 모양의 부분이 아닌 것을 찾아 ╳표 하세요.

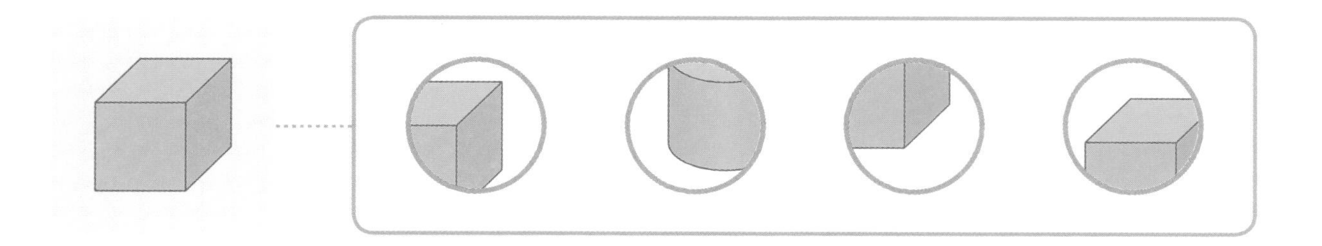

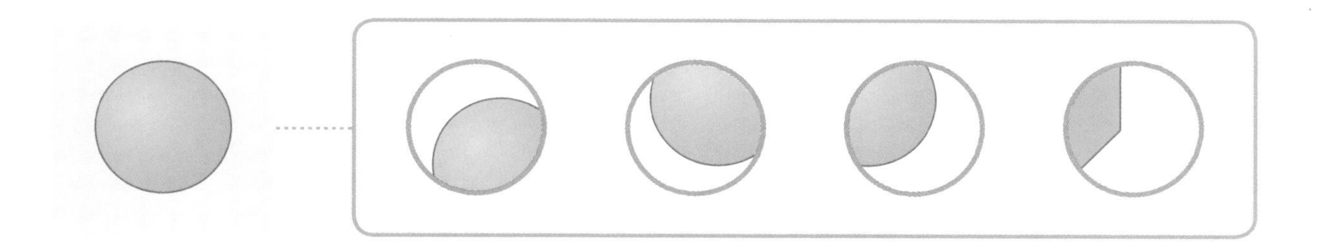

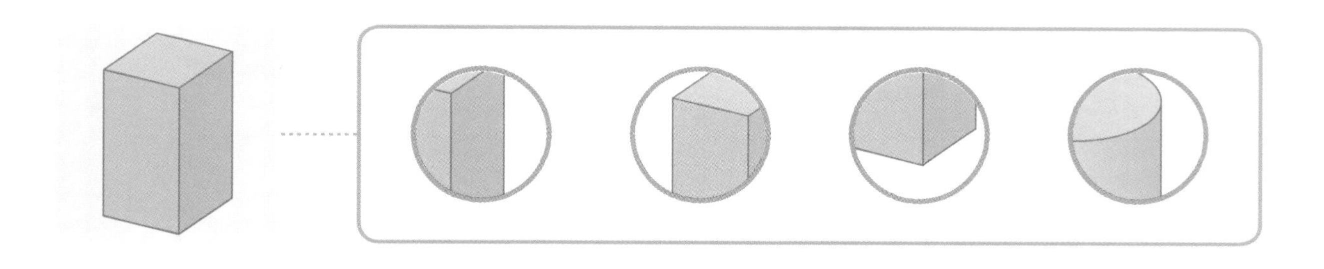

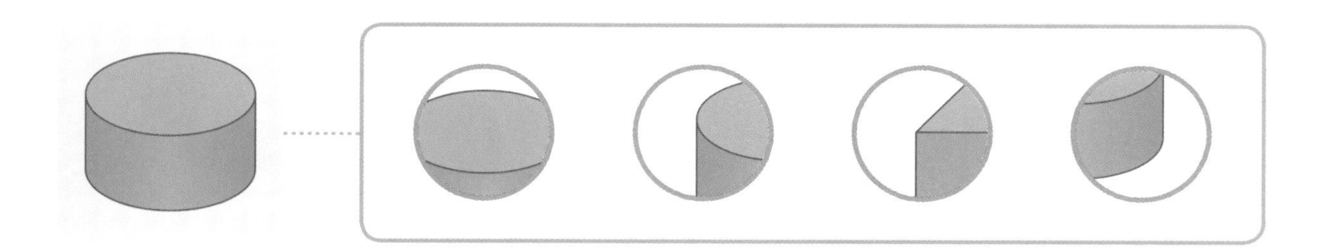

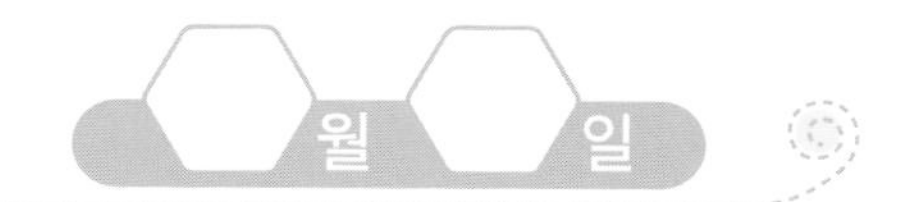


같은 모양끼리 이어 보세요.

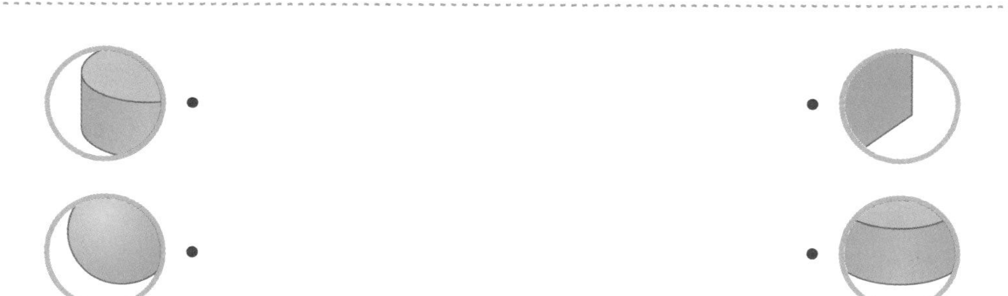

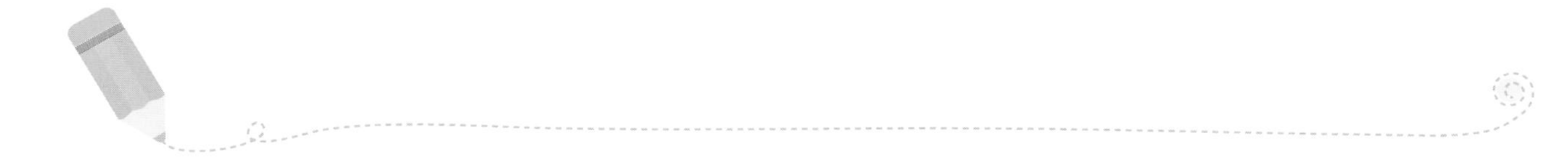

구멍 안으로 보이는 모양 2개에 각각 ◯표 하세요.

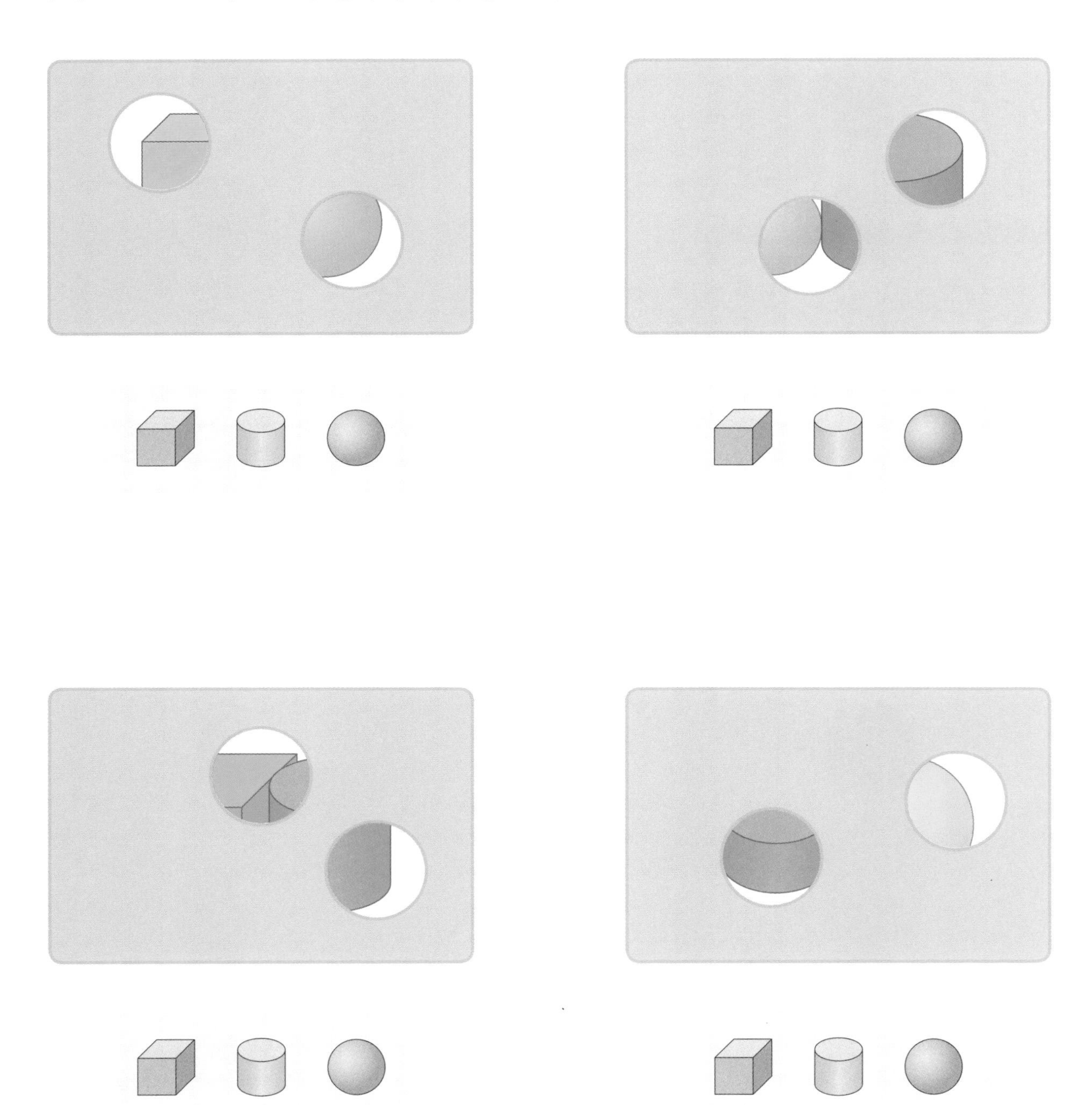

3주차

11~15일

# 같은 모양 모으기

# 모은 모양 찾기

같은 모양끼리 모았습니다. 어떤 모양끼리 모았는지 ◯표 하세요.

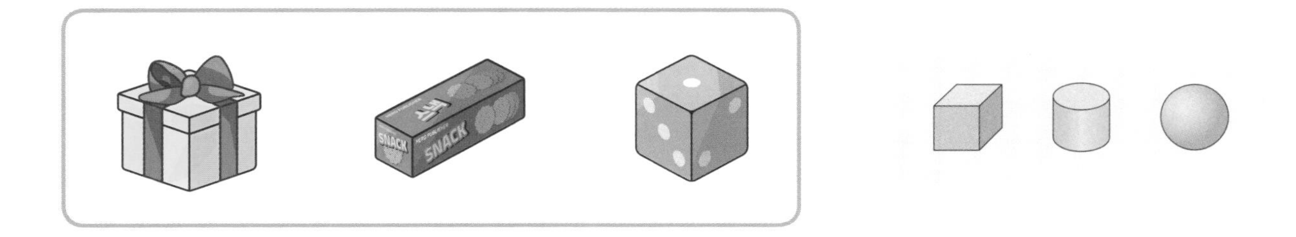

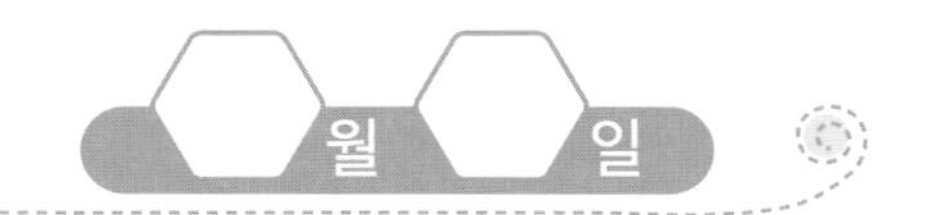


같은 모양끼리 모았습니다. 어떤 모양끼리 모았는지 ◯표 하세요.

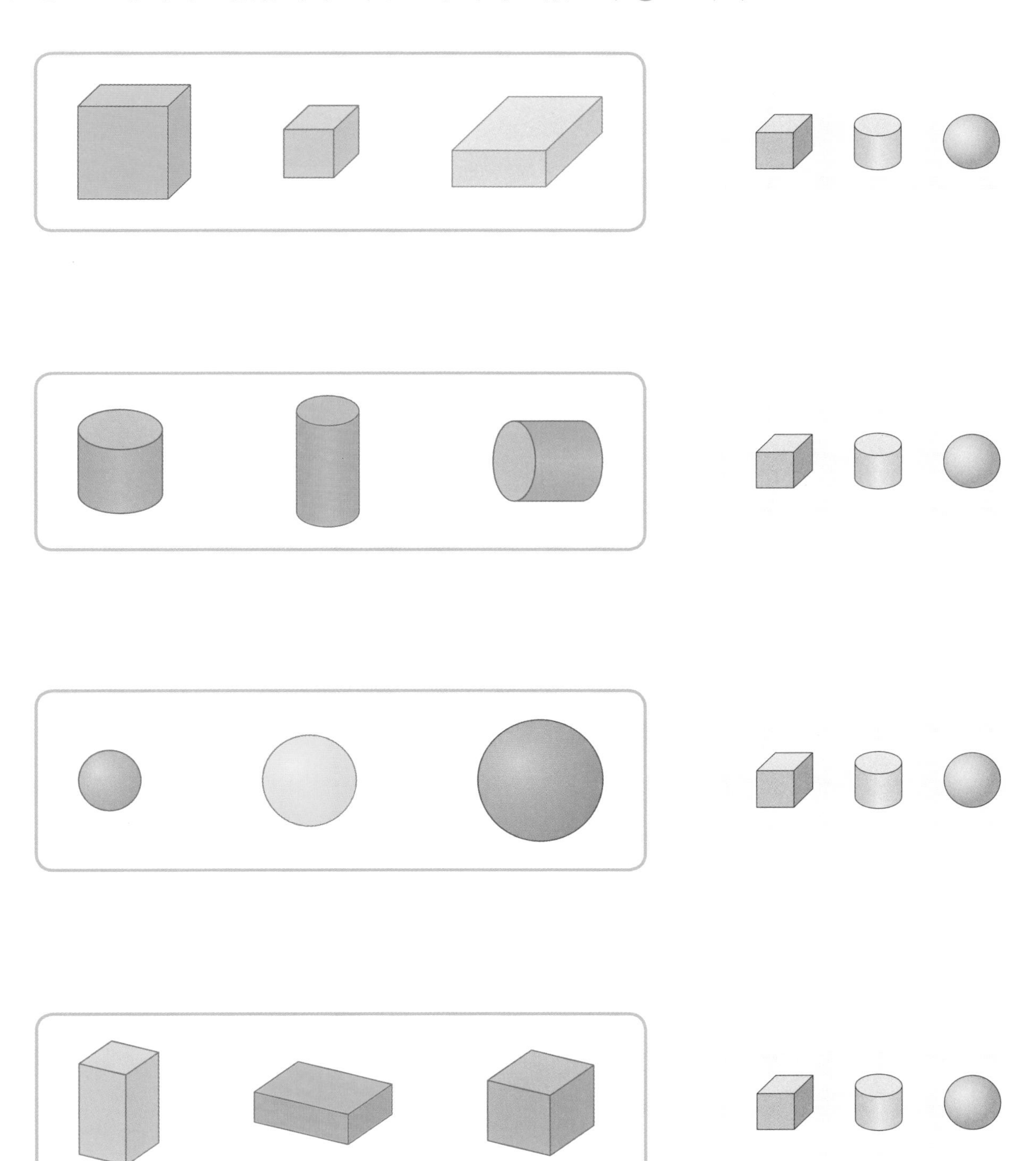

# 같은 모양끼리 모으기

같은 모양끼리 모은 것에 ○표, 아닌 것에 ×표 하세요.

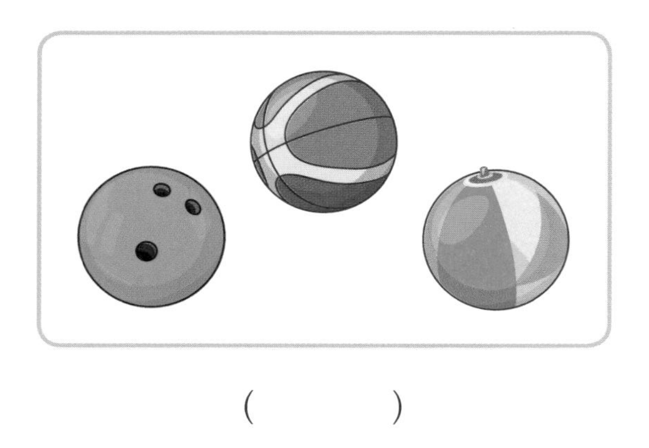

(　　　　)

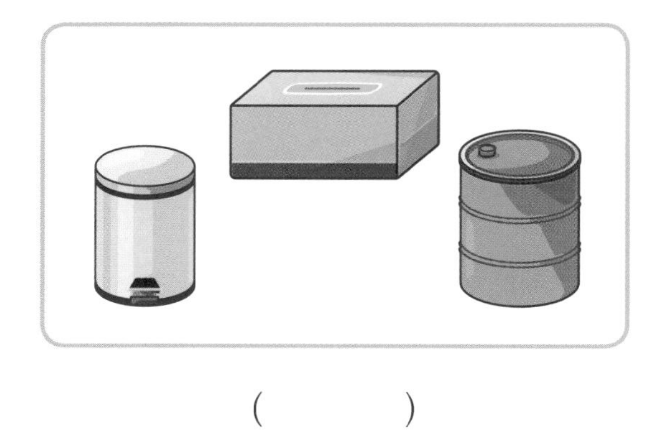

(　　　　)

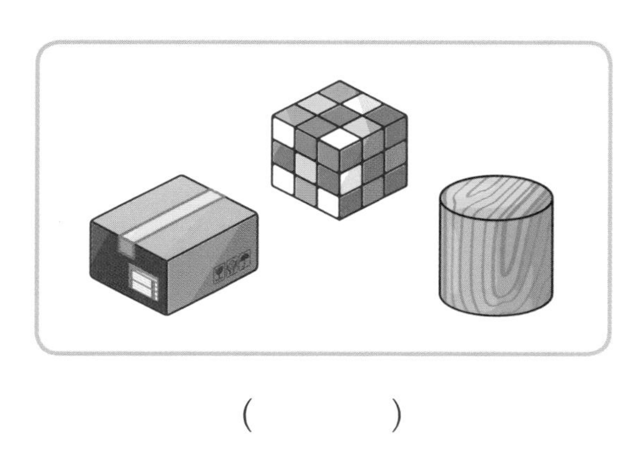

(　　　　)

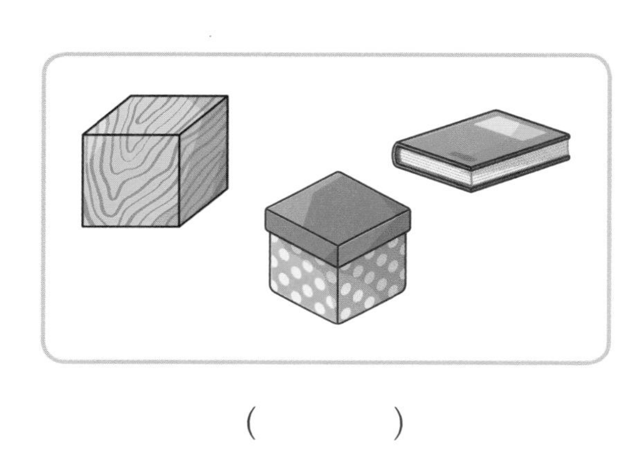

(　　　　)

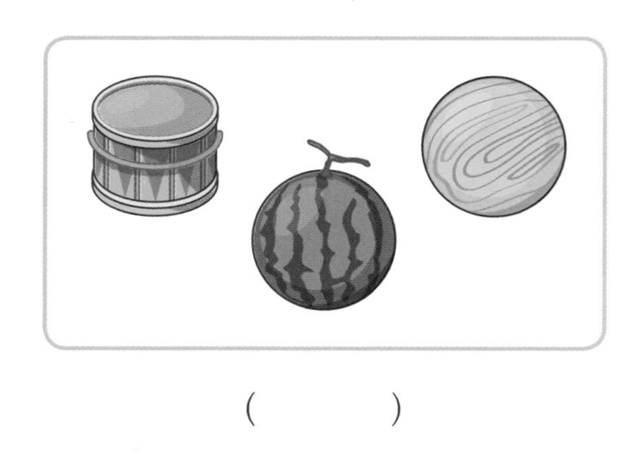

(　　　　)

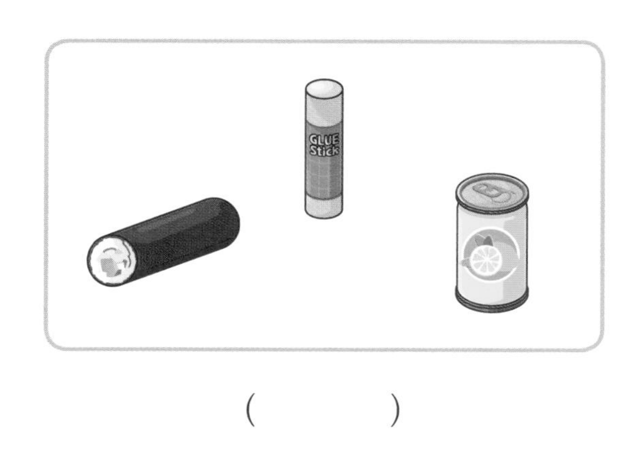


(　　　　)

같은 모양끼리 묶어 보세요.

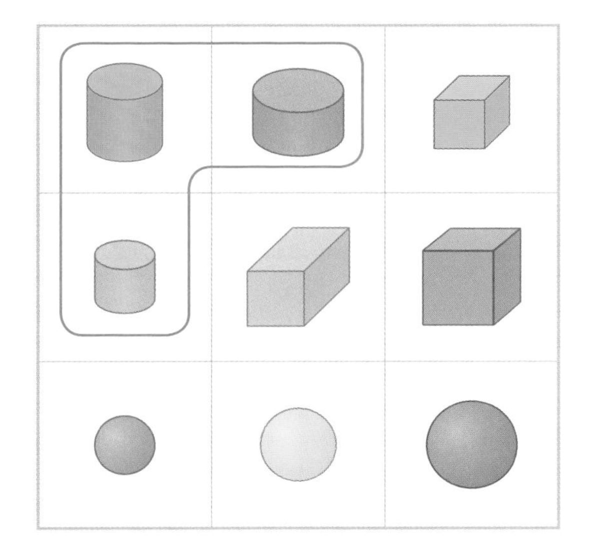

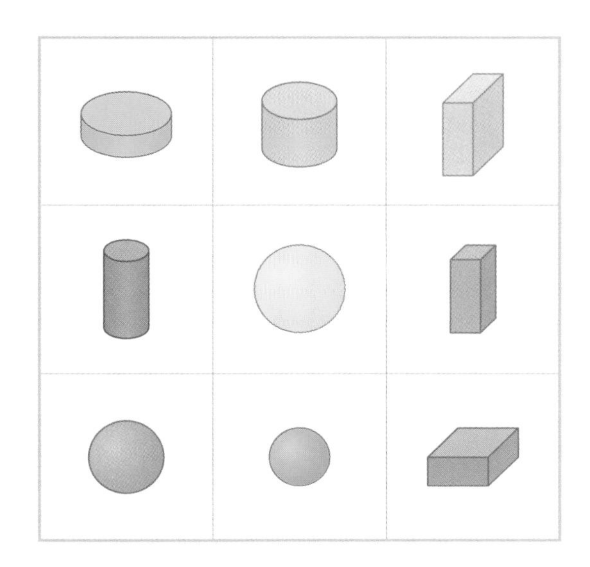

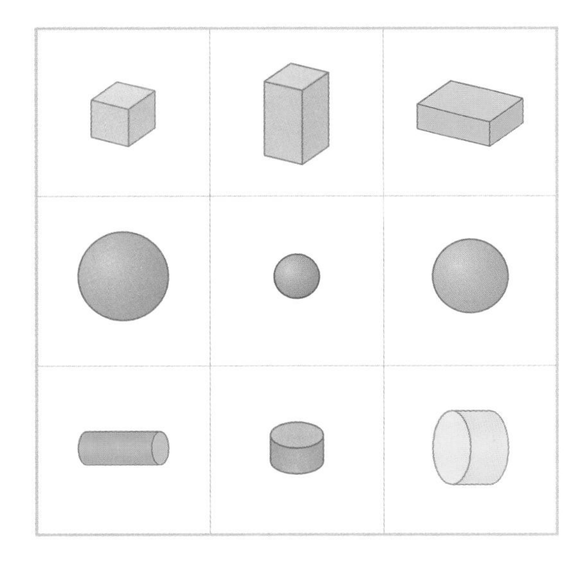

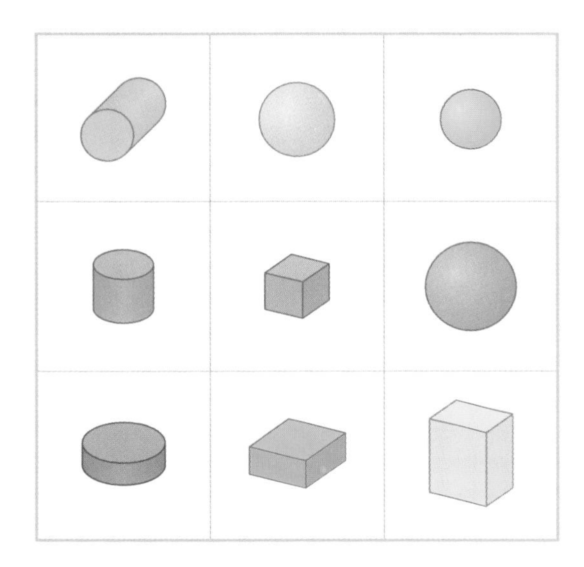

# 다른 모양 찾기

같은 모양끼리 모으려고 합니다. 잘못 모은 것 하나를 찾아 ×표 하세요.

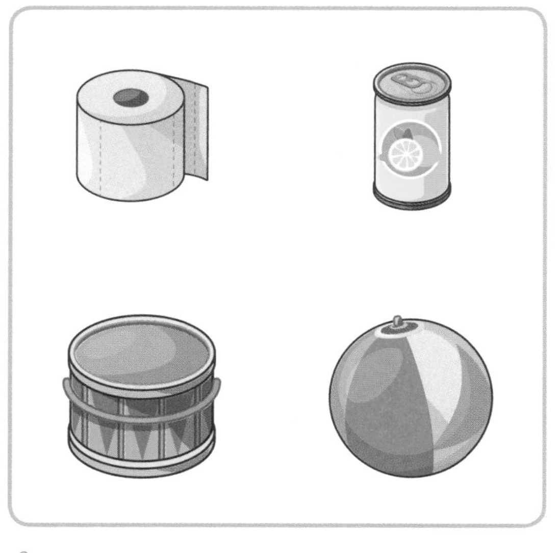

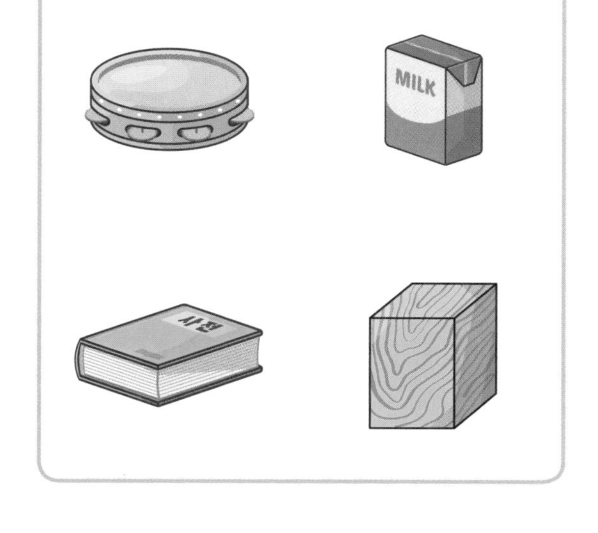


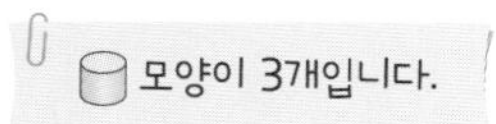

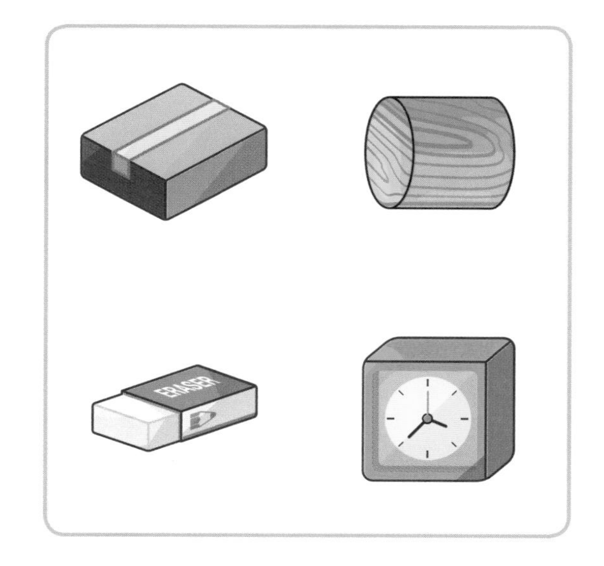

나머지와 다른 모양 하나를 찾아 ╳표 하세요.

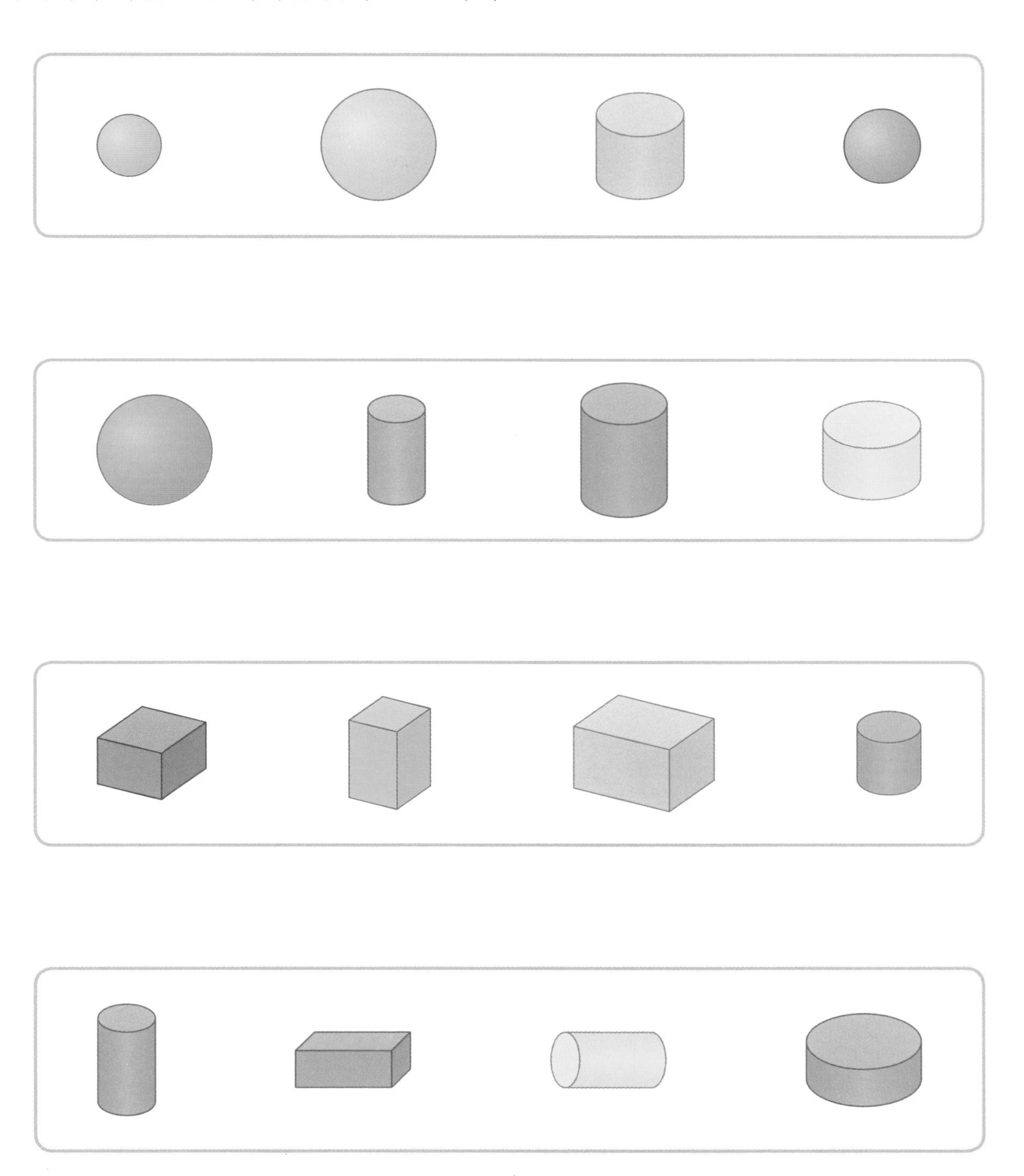

# 14일 찾을 수 있는 모양

찾을 수 있는 모양에 모두 ○표 하세요.

| 모양 | 모양 | 모양 |
|---|---|---|
| ○ | | |

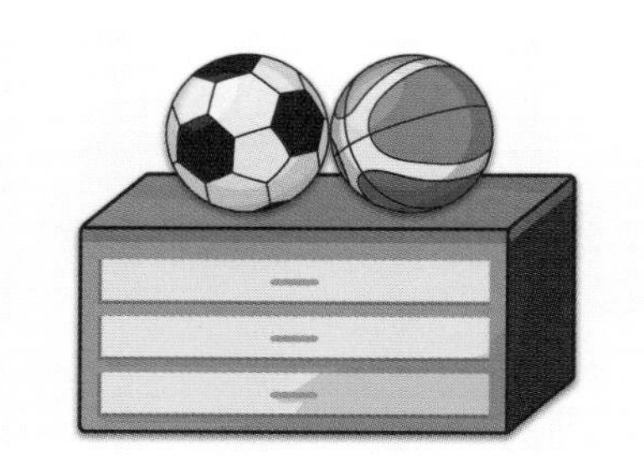

| 모양 | 모양 | 모양 |
|---|---|---|
| | | |

| 모양 | 모양 | 모양 |
|---|---|---|
| | | |

| 모양 | 모양 | 모양 |
|---|---|---|
| | | |

물음에 답하세요.

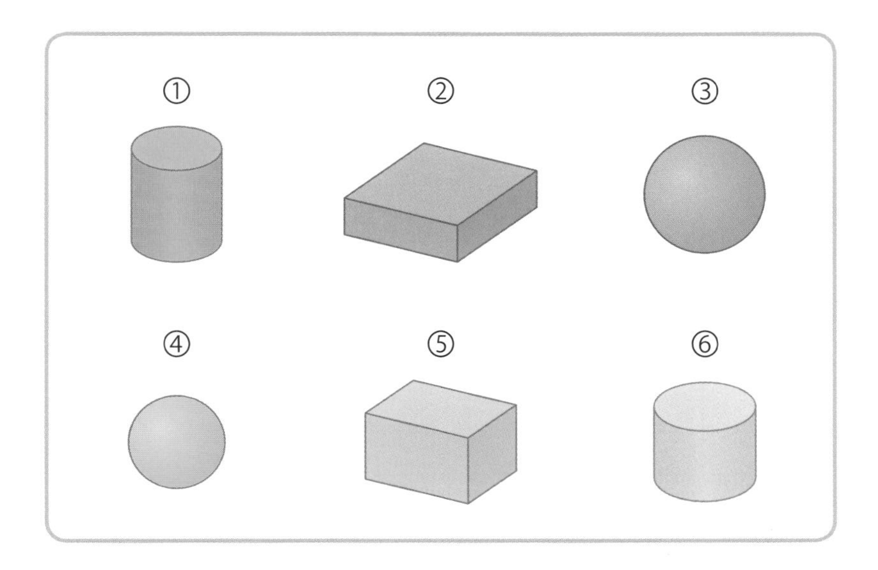


모양의 번호를 모두 써 보세요. ② , □

모양의 번호를 모두 써 보세요. □ , □

모양의 번호를 모두 써 보세요. □ , □

# 15일 모양의 개수

모양별로 개수를 세어 보세요.

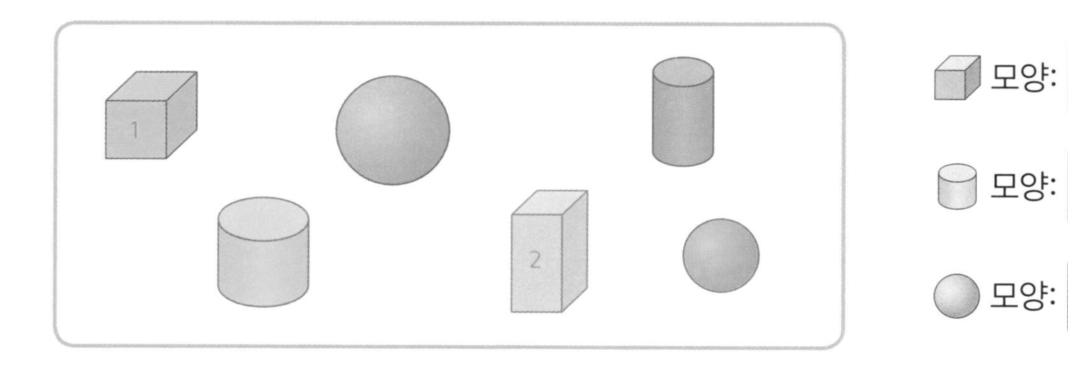

모양: 2 개

모양: 개

모양: 개

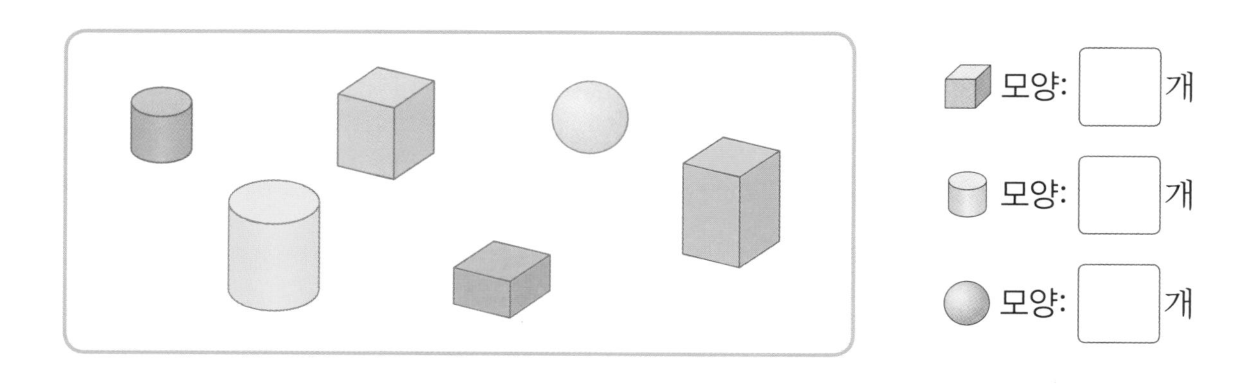

모양: 개

모양: 개

모양: 개

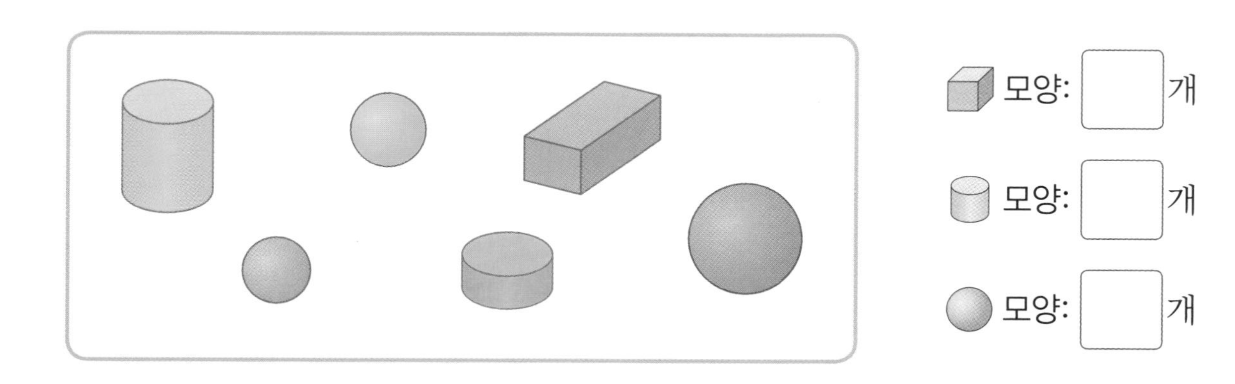

모양: 개

모양: 개

모양: 개

물음에 답하세요.

가장 많은 모양에 ○표 하세요.

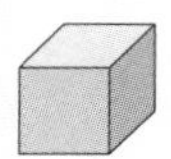 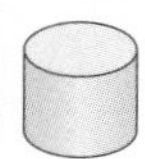 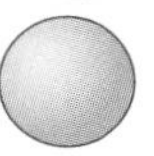

가장 적은 모양에 △표 하세요.

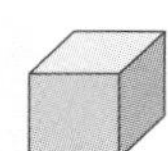 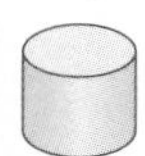 

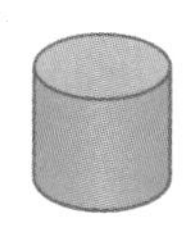 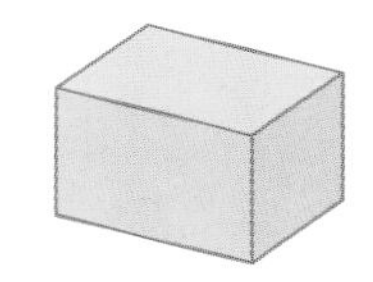 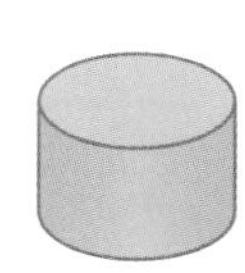 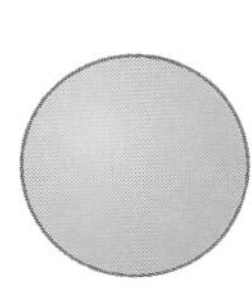 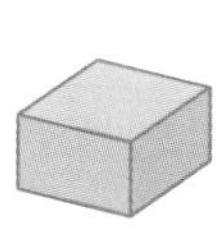 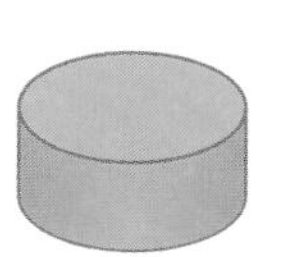

가장 많은 모양에 ○표 하세요.

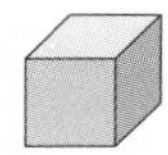 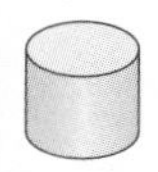 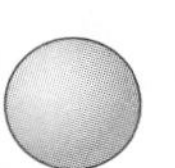

가장 적은 모양에 △표 하세요.

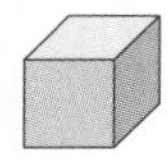 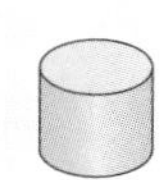 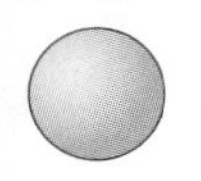

11 같은 모양끼리 선으로 잇고, 모양별로 개수를 세어 보세요.

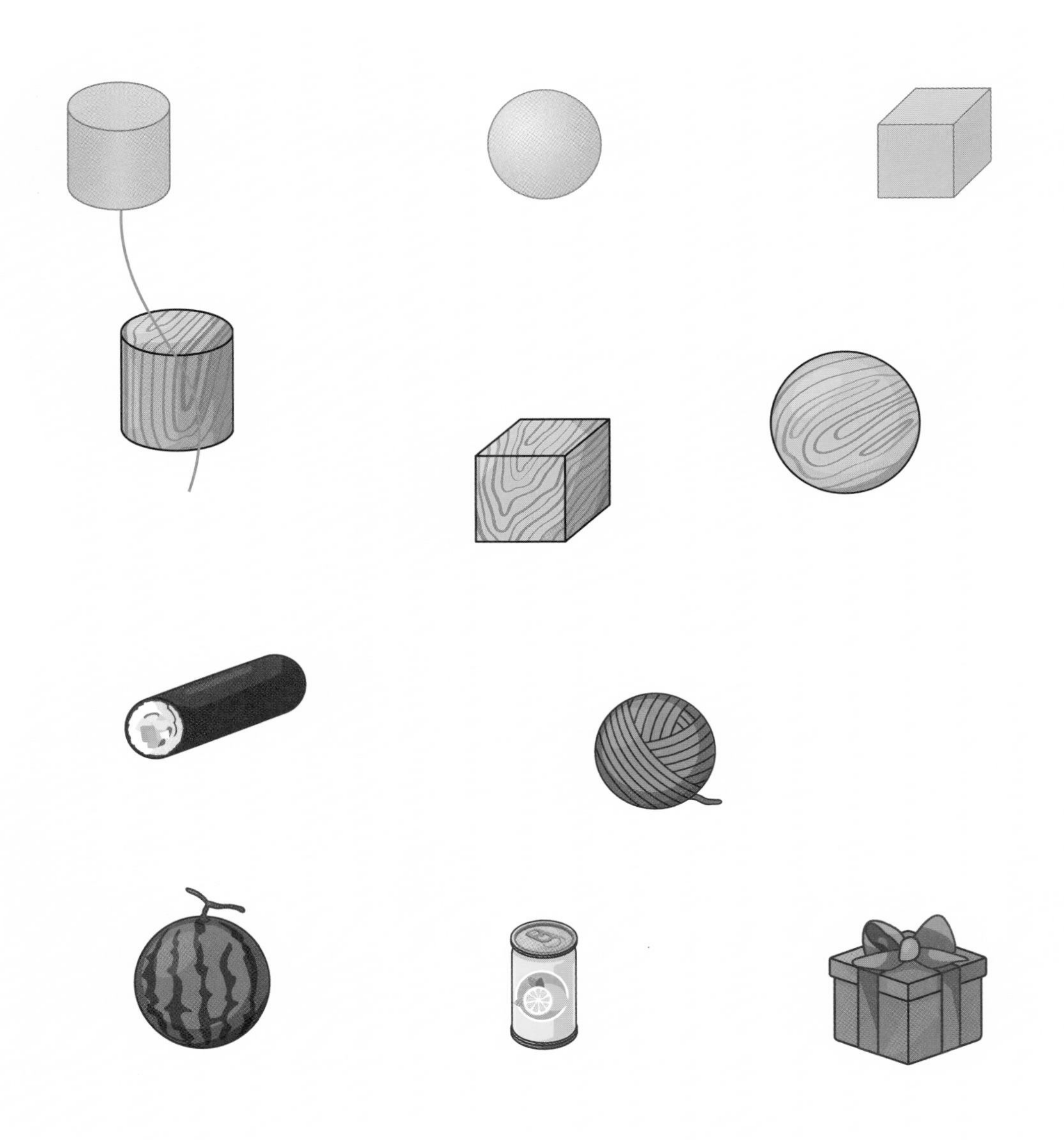

| 모양 | 모양 | 모양 |
|---|---|---|
| 개 | 개 | 개 |

# 모양 만들기

# 16일 한 가지 모양

1 모양으로 만들었습니다. 모양의 개수를 세어 보세요.

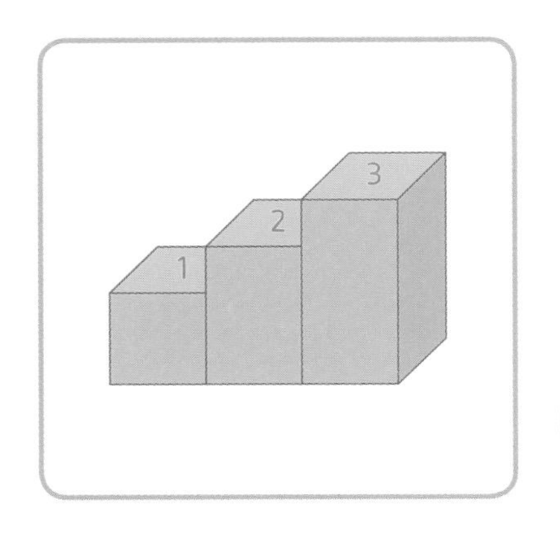


3 개

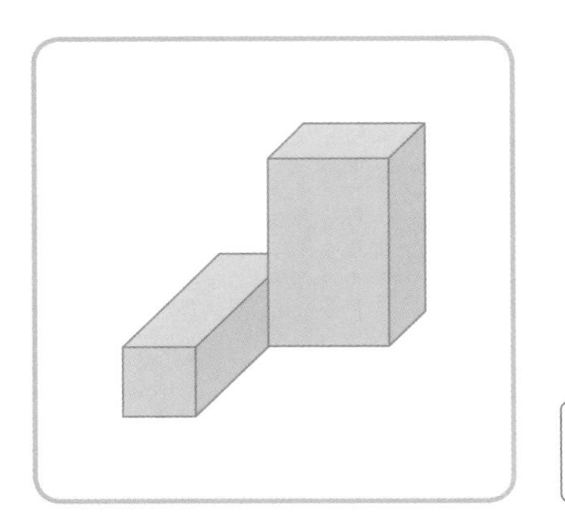

개

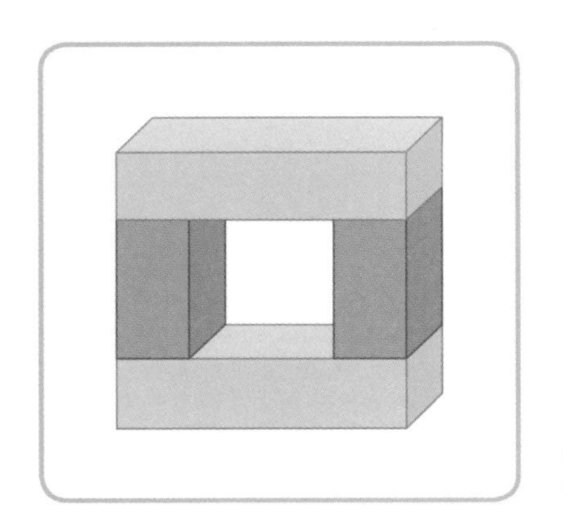

개

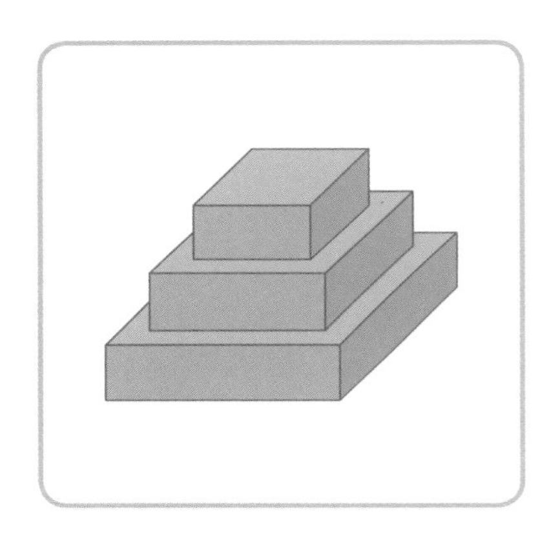

개

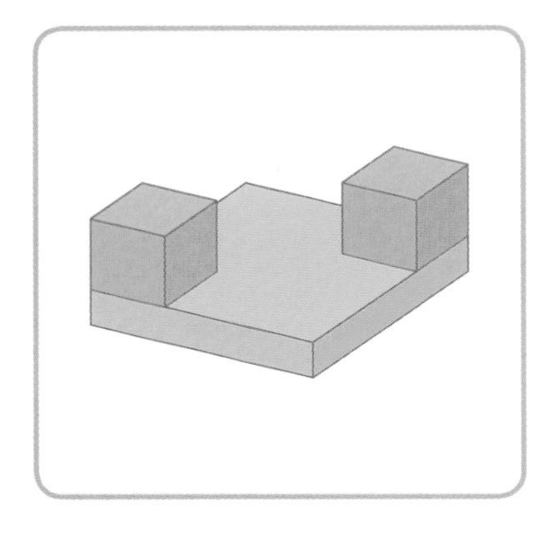

개

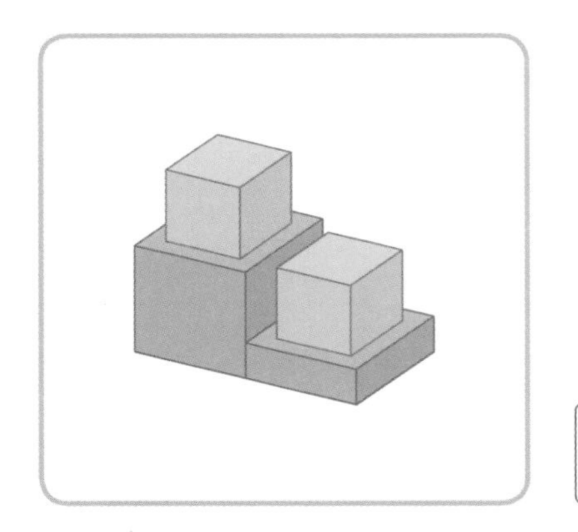

개

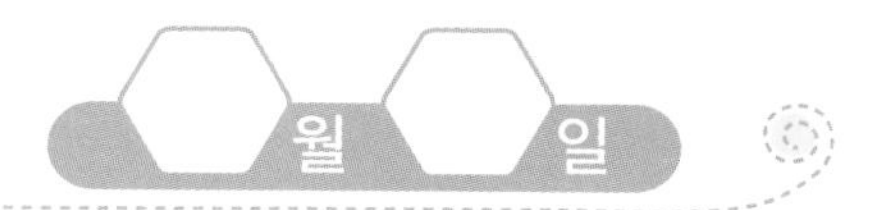


모양으로 만들었습니다. 모양의 개수를 세어 보세요.

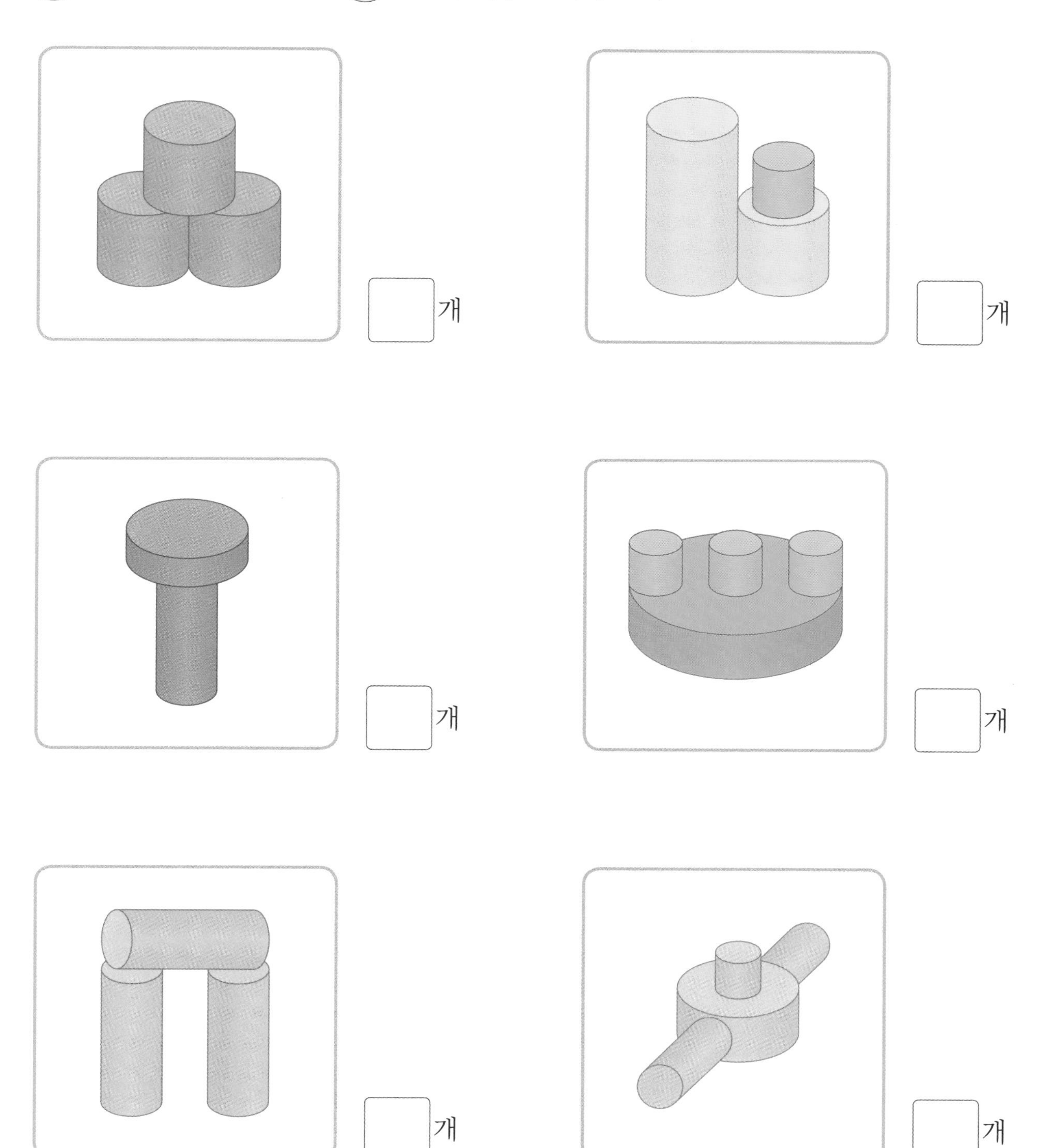

## 17일 두 가지 모양 (1)

1. 모양에는 □표, 모양에는 △표, 모양에는 ○표 하세요.

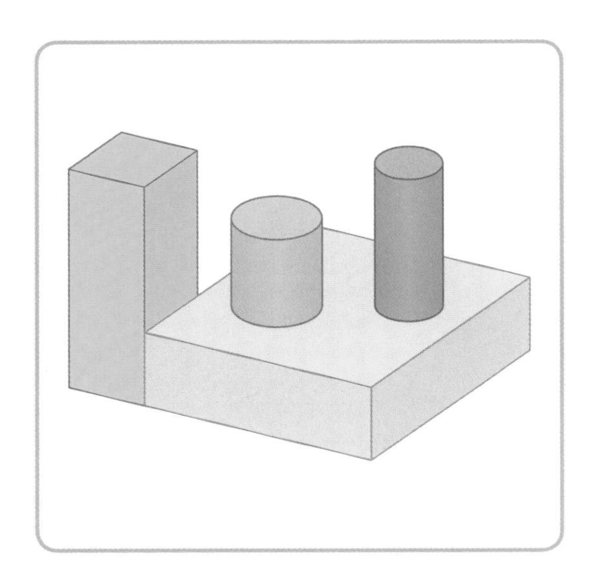

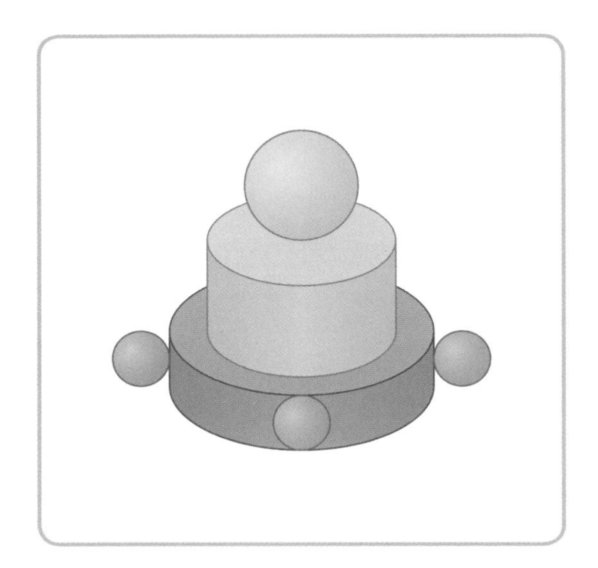

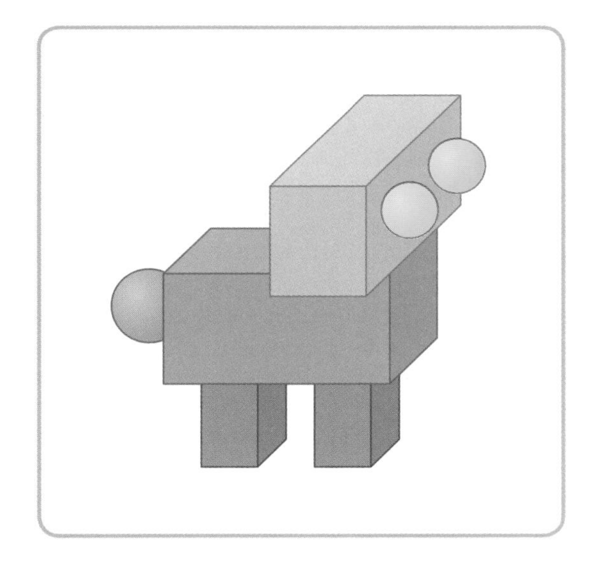

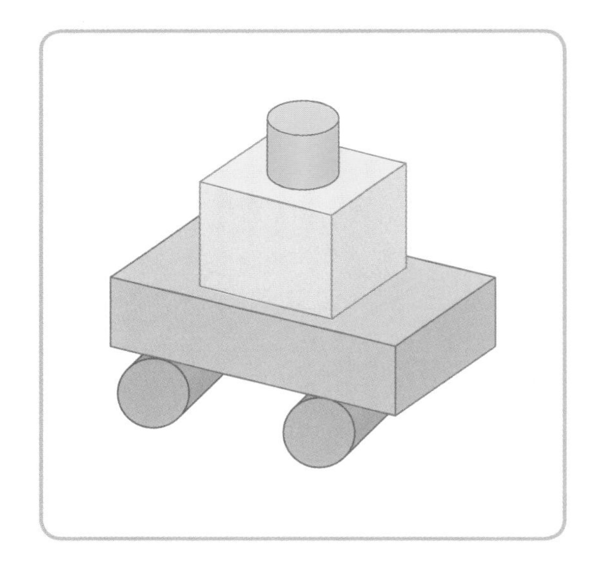

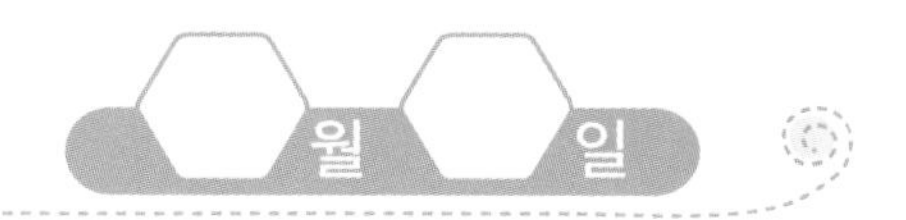


두 가지 모양으로 만들었습니다. 이용하지 않은 모양에 ×표 하세요.

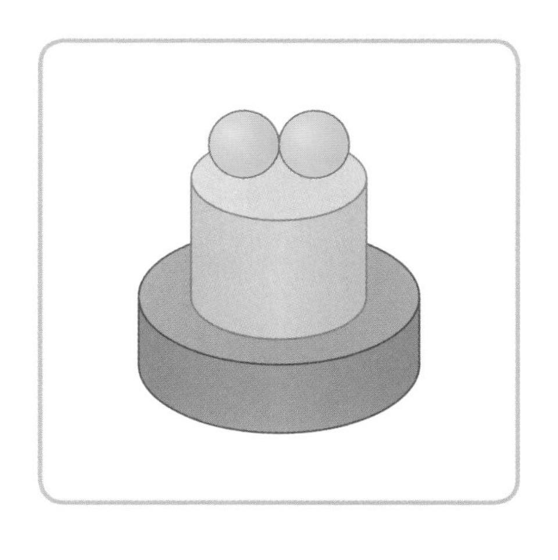

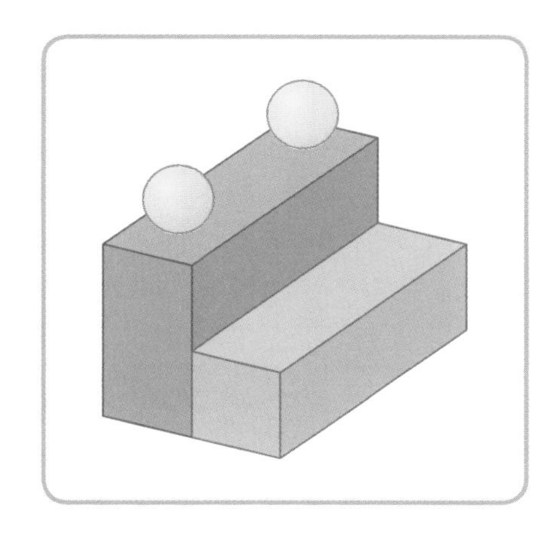

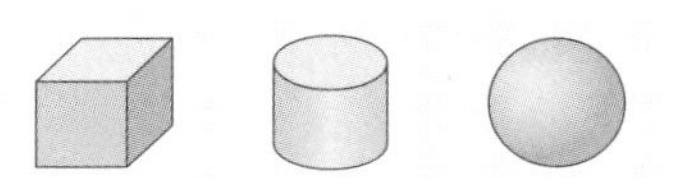

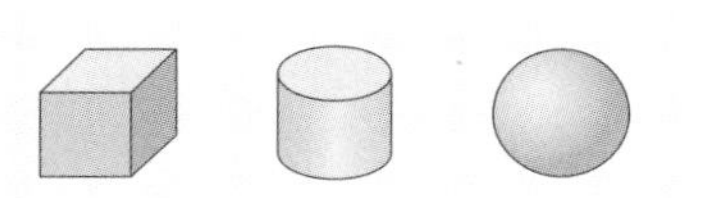

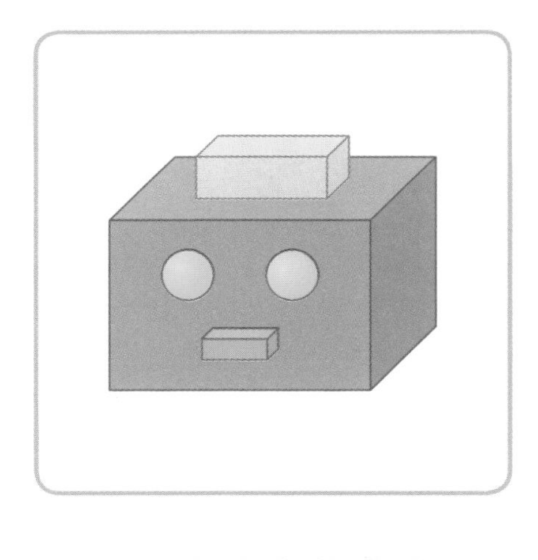

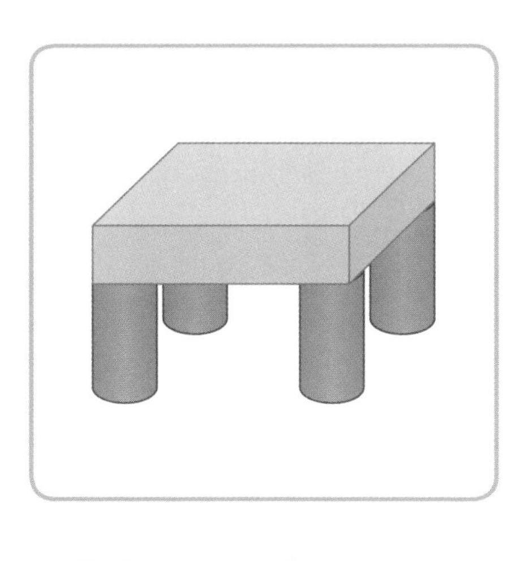

# 18일 두 가지 모양 (2)

두 가지 모양으로 만들었습니다. 모양별로 몇 개씩 이용했는지 세어 보세요.

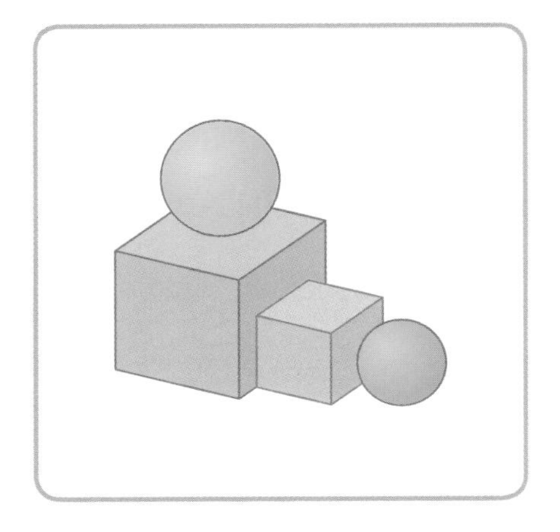

모양: ☐ 개

모양: ☐ 개

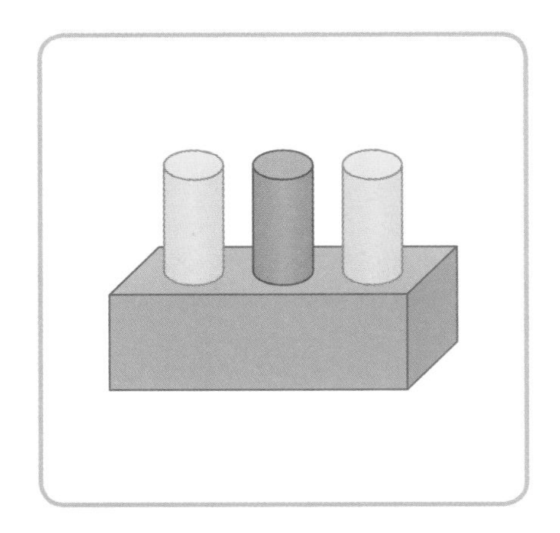

모양: ☐ 개

모양: ☐ 개

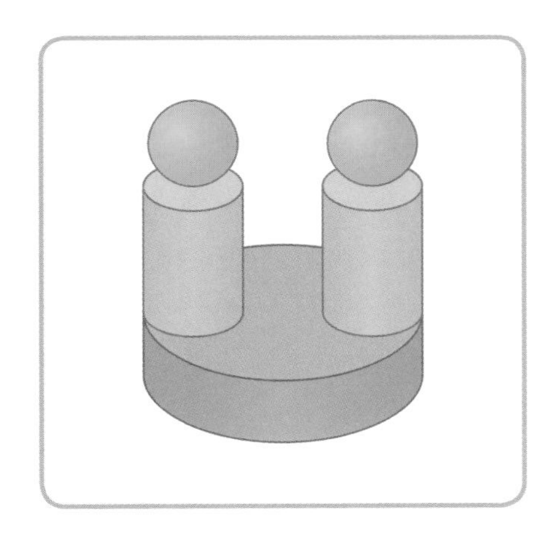

모양: ☐ 개

모양: ☐ 개

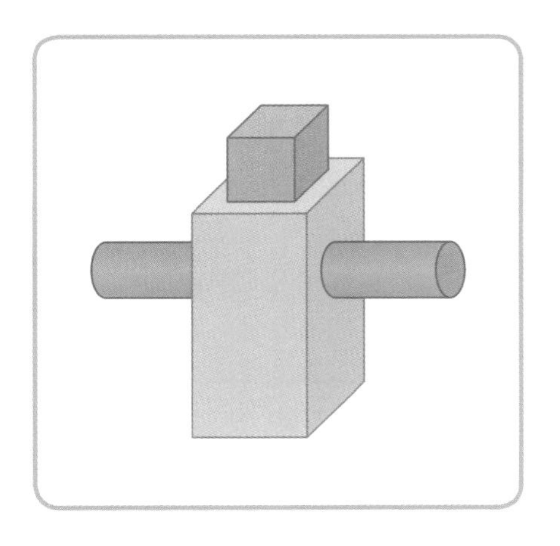

모양: ☐ 개

모양: ☐ 개

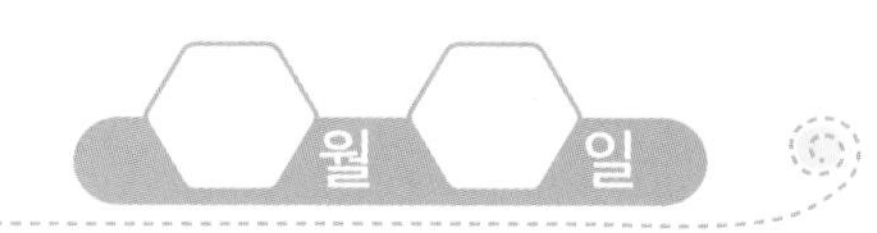


두 가지 모양으로 만들었습니다. 모양별로 몇 개씩 이용했는지 세어 보세요.

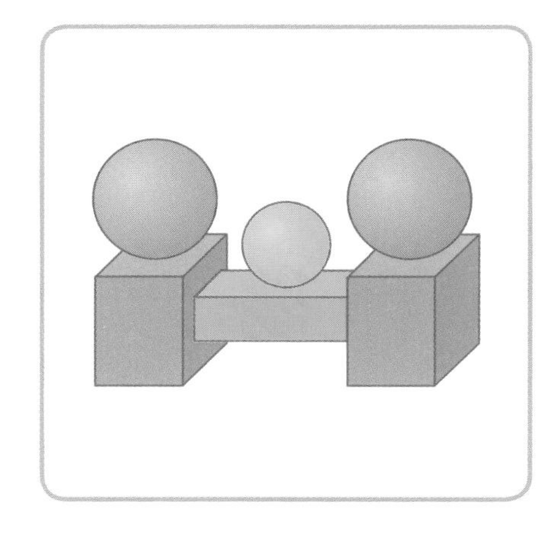

□ 모양: [ ]개

○ 모양: [ ]개

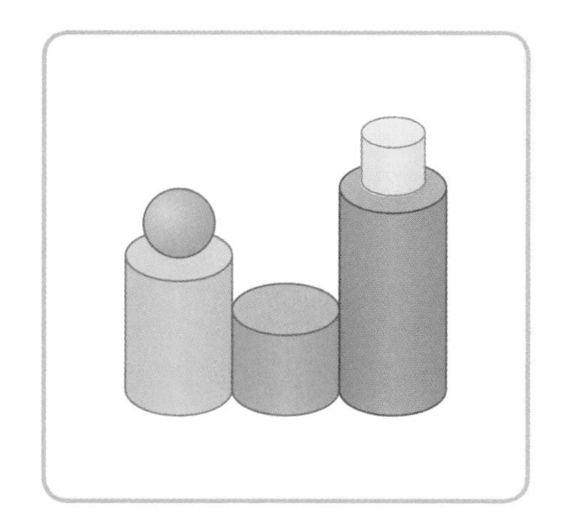

□ 모양: [ ]개

○ 모양: [ ]개

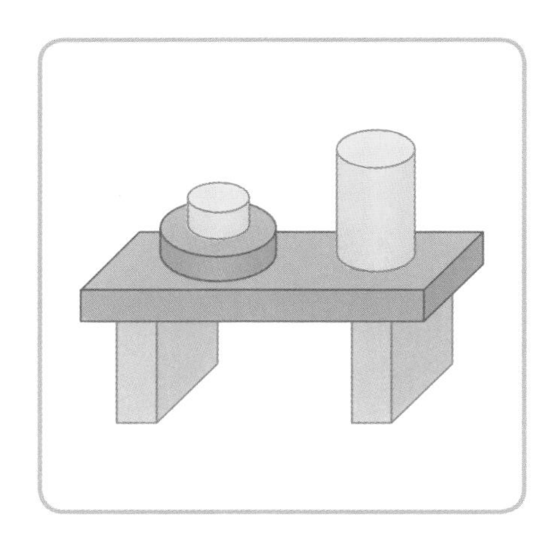

□ 모양: [ ]개

□ 모양: [ ]개

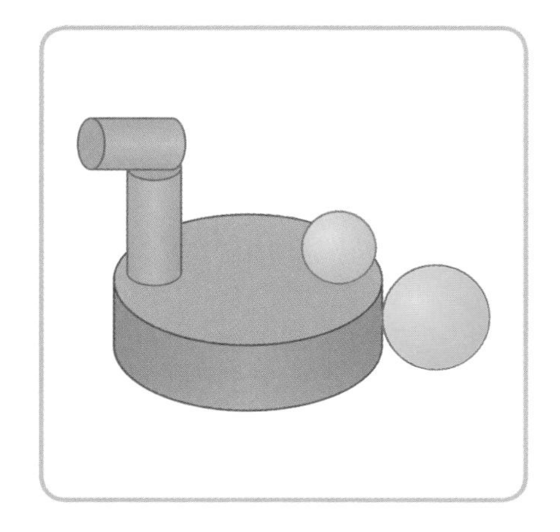

□ 모양: [ ]개

○ 모양: [ ]개

# 같은 모양, 다른 모양

왼쪽 모양과 똑같이 만든 모양에 ◯표 하세요.

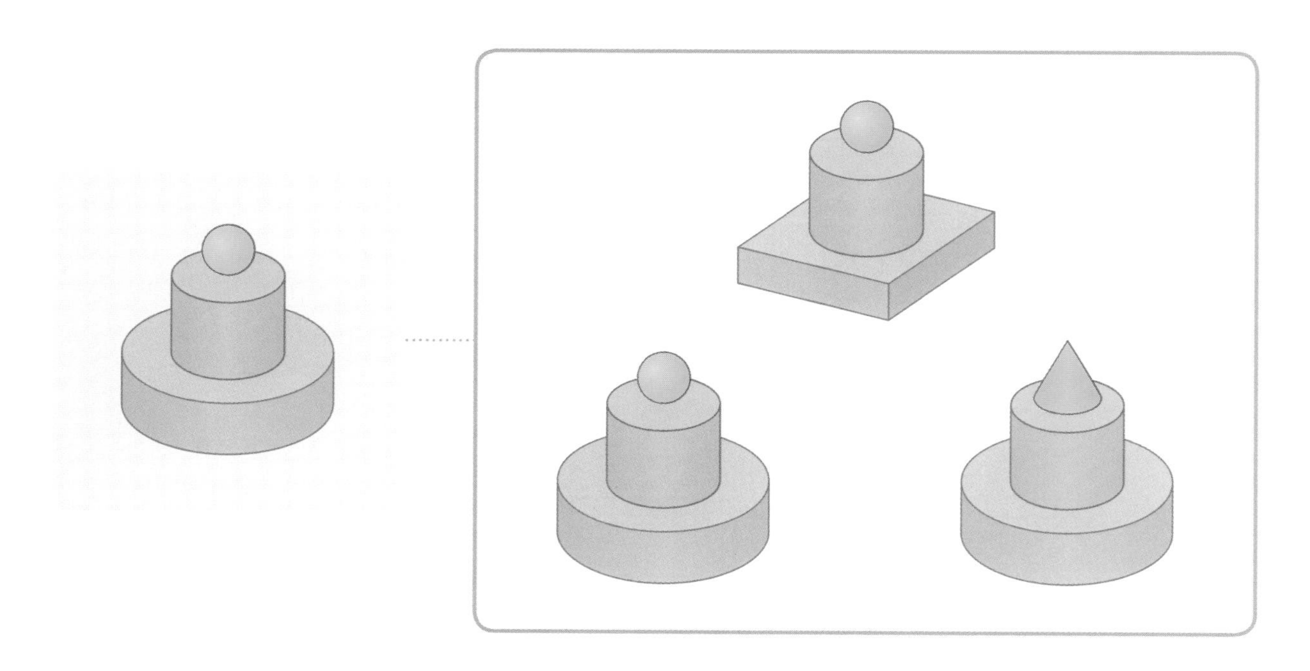

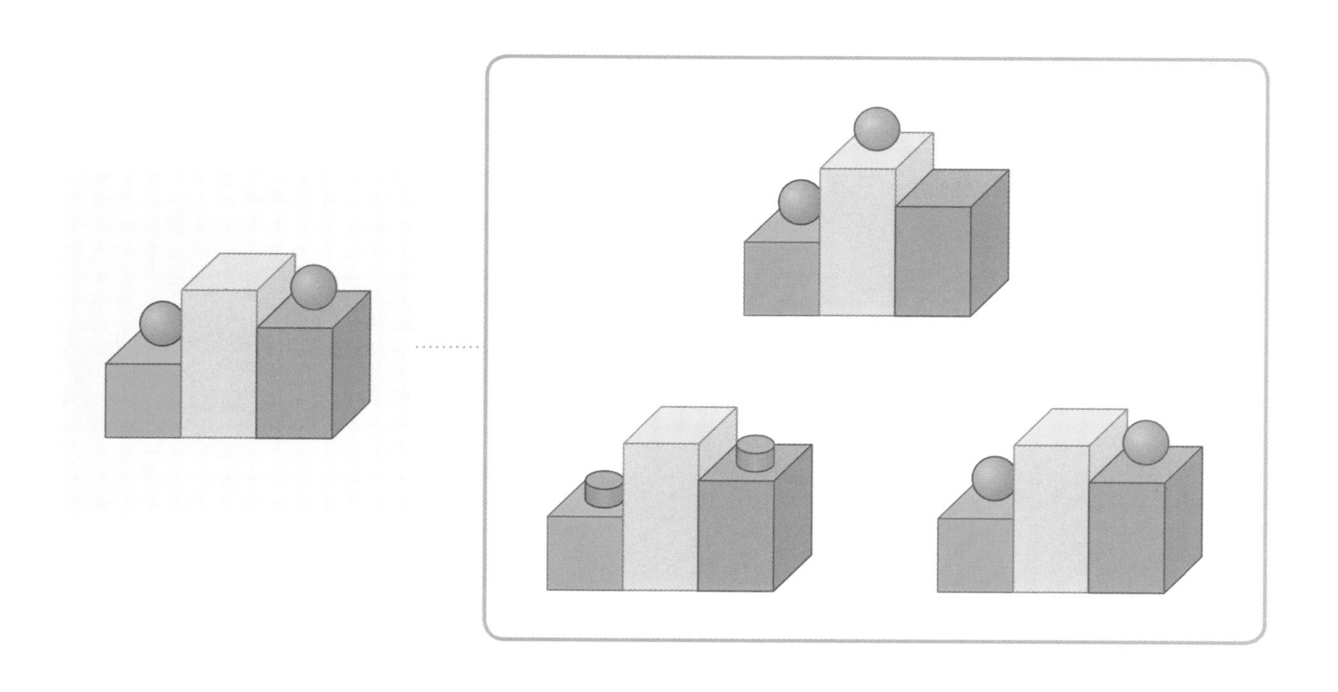

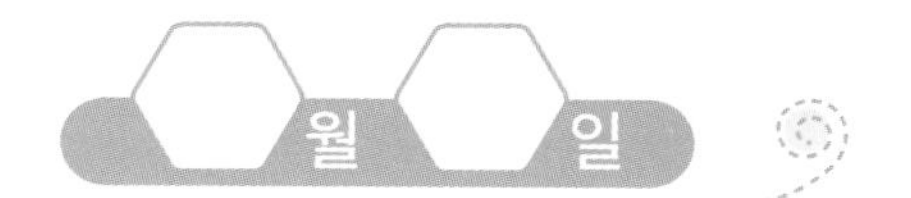


두 그림에서 다른 곳을 2군데 찾아 오른쪽 그림에 ◯표 하세요.

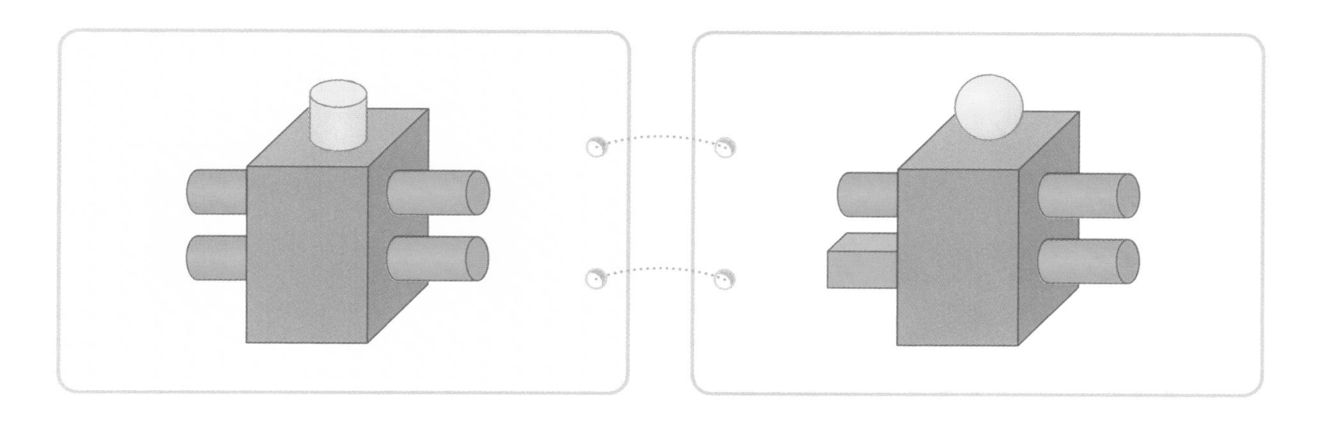

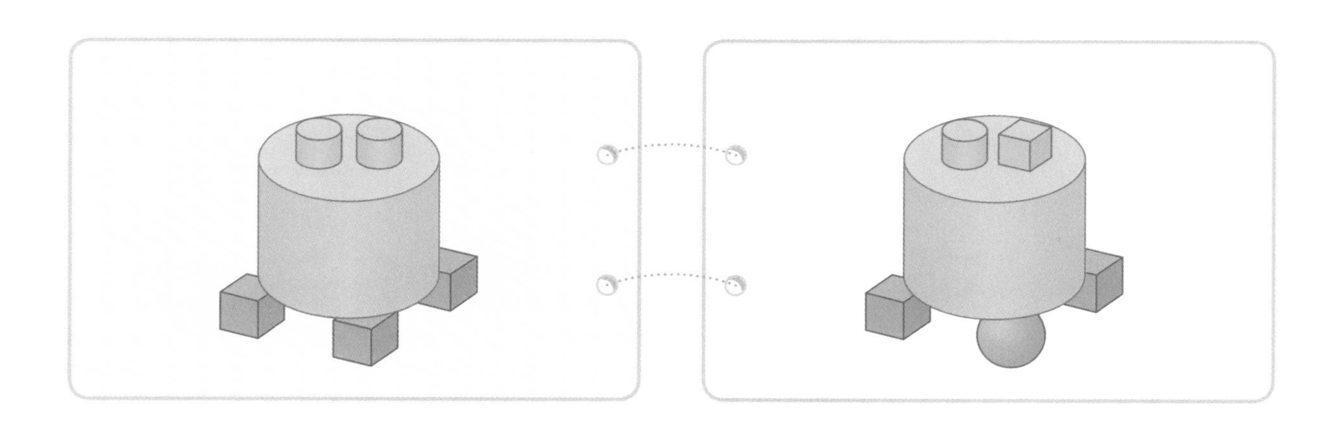

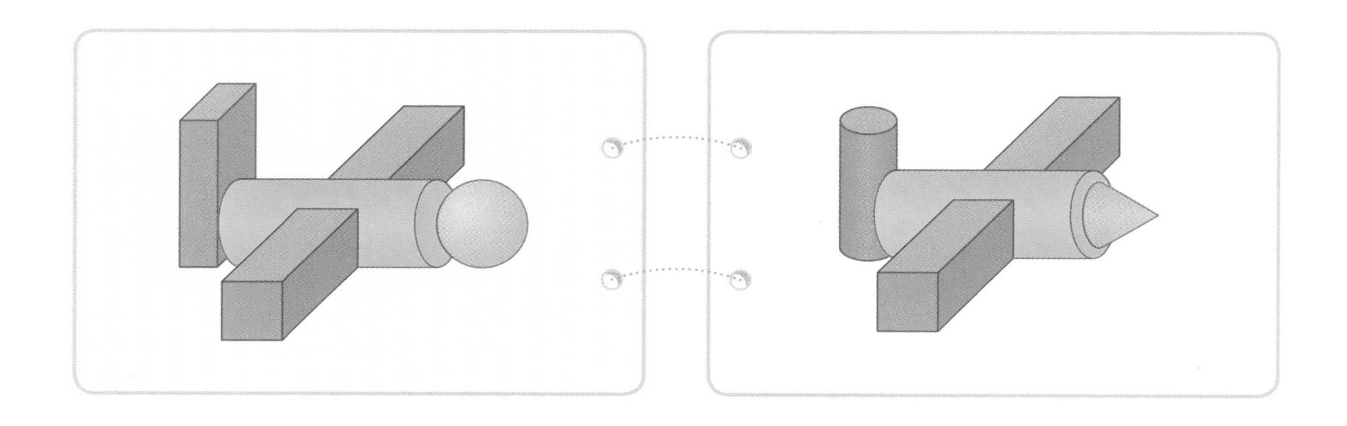

# 이용한 블록

1 주어진 블록을 모두 이용하여 만든 모양에 ◯표 하세요.

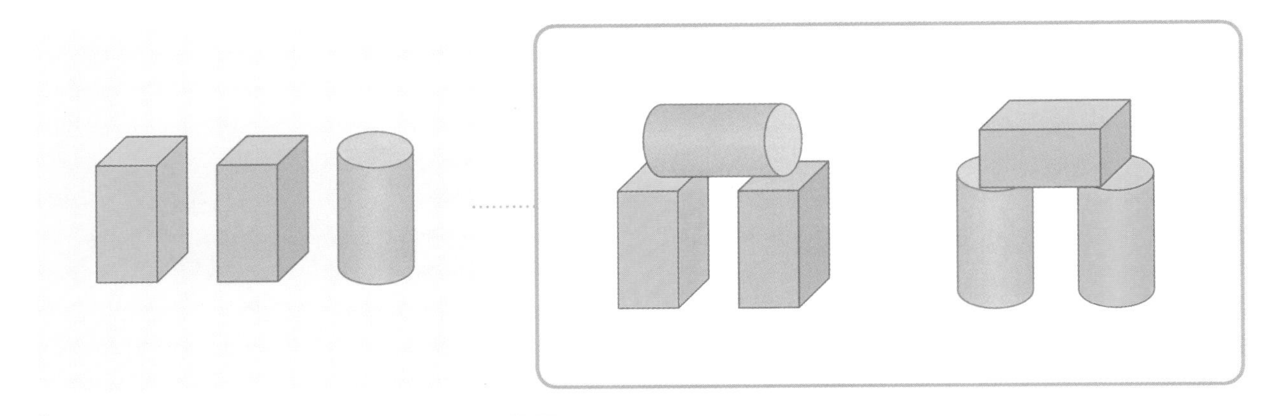

이용한 블록을 하나씩 짝지어 보며 만든 모양을 찾습니다.

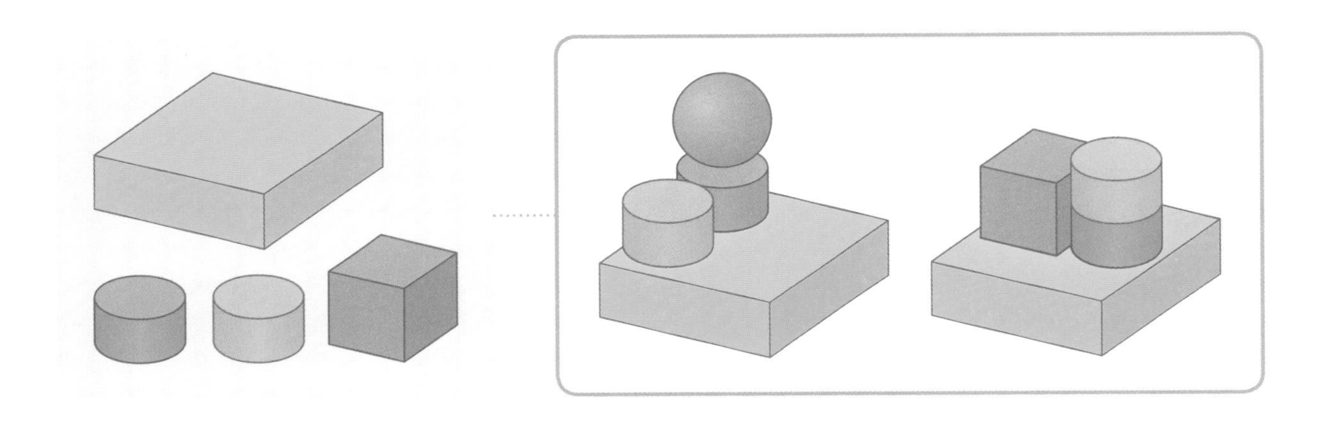

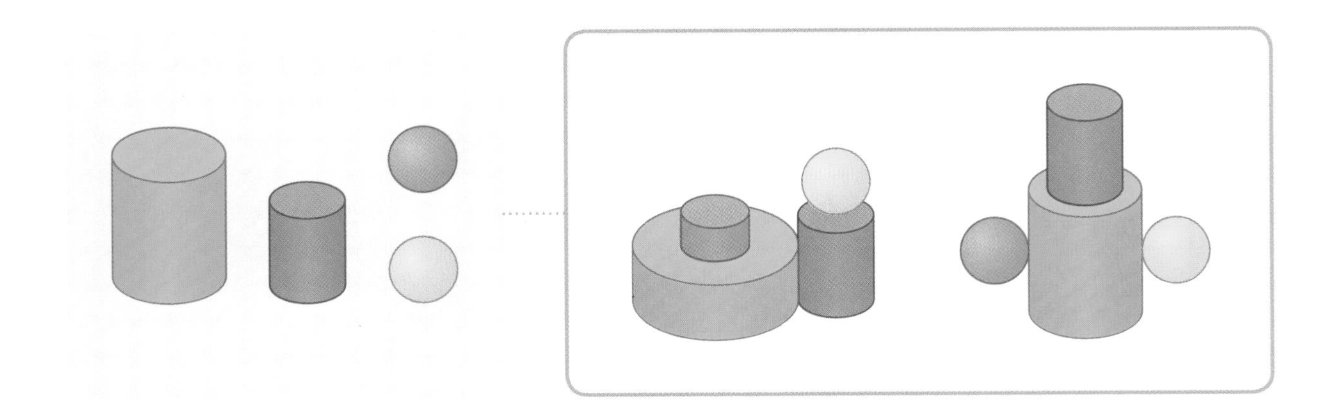

주어진 블록을 모두 이용하여 만든 모양을 찾아 이어 보세요.

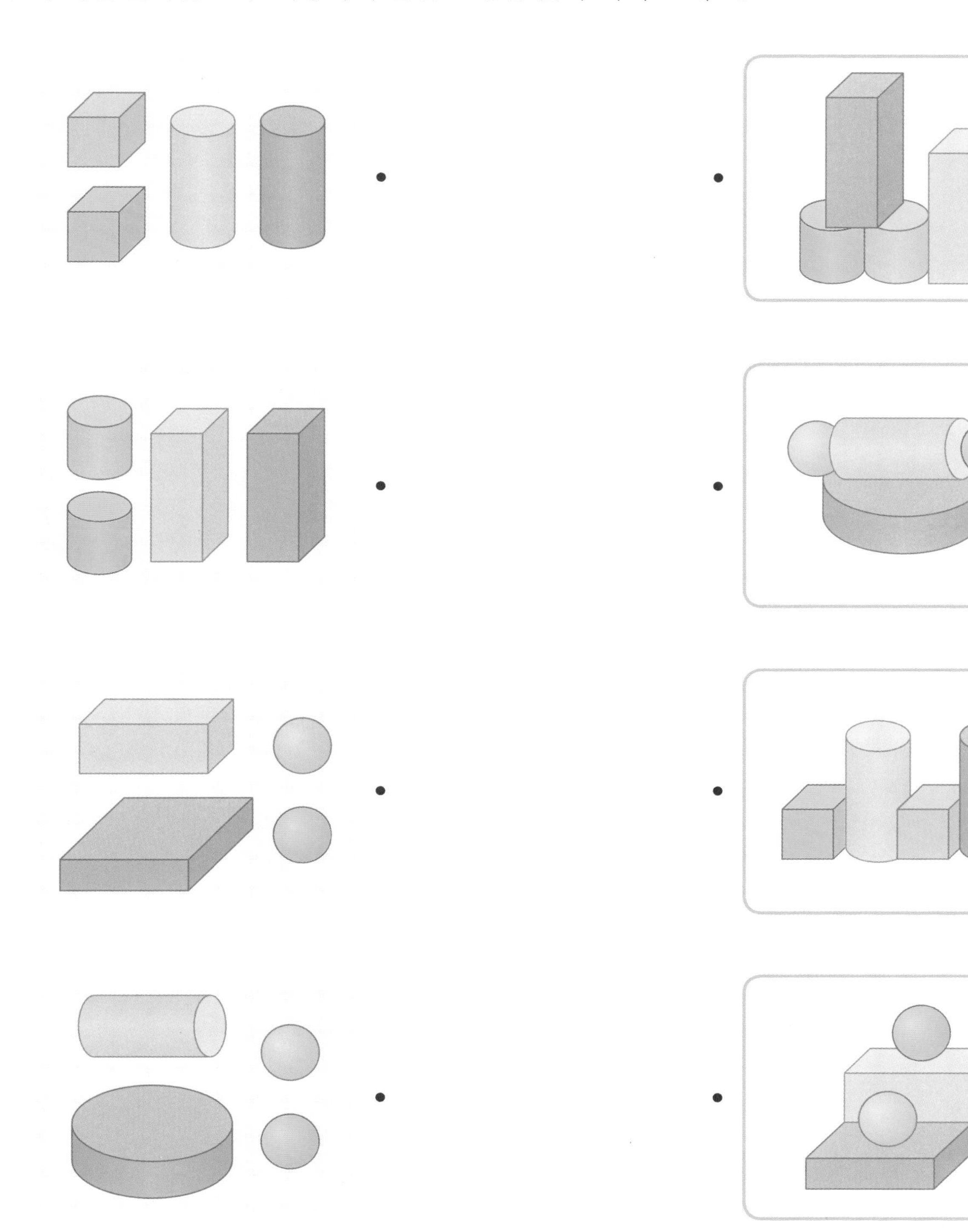

두 가지 모양으로 만들었습니다. 물음에 답하세요.

선우와 윤지가 만든 모양입니다. 두 사람이 모두 이용한 모양에 ○표 하세요.

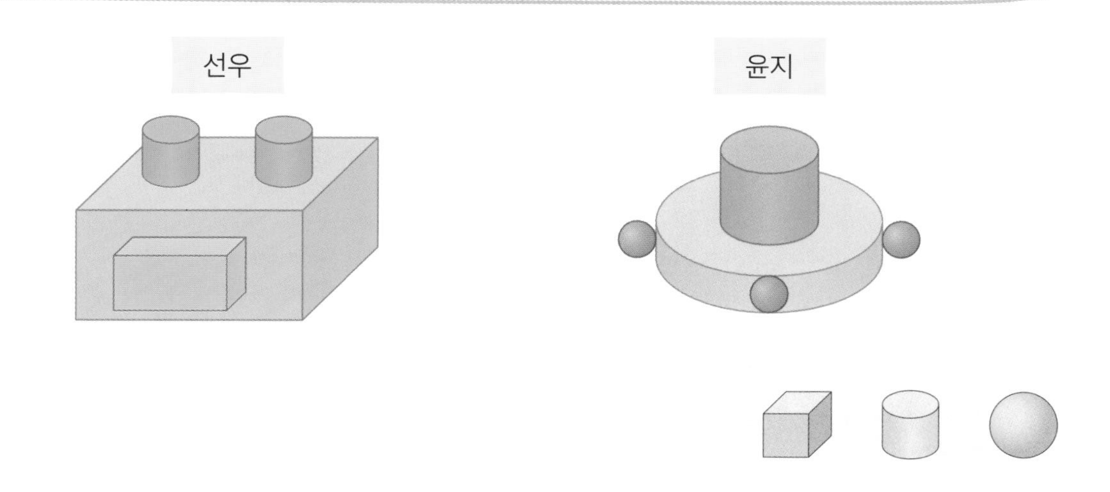


민서와 수찬이가 만든 모양입니다. 두 사람이 모두 이용한 모양에 ○표 하세요.

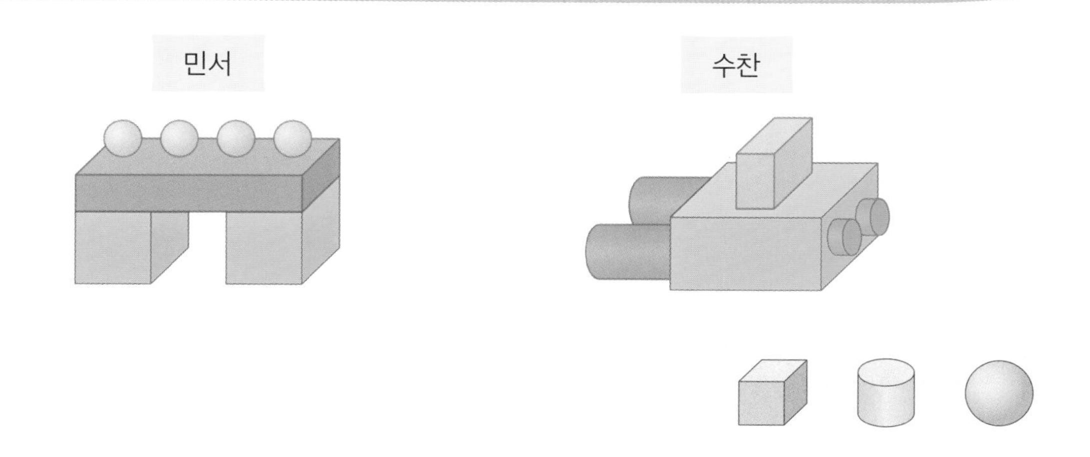

# 도형 플러스+

- 길 찾기 -

PLUS 1

# 모양 미로

모양만 따라 선을 그어 미로를 빠져나가 보세요.

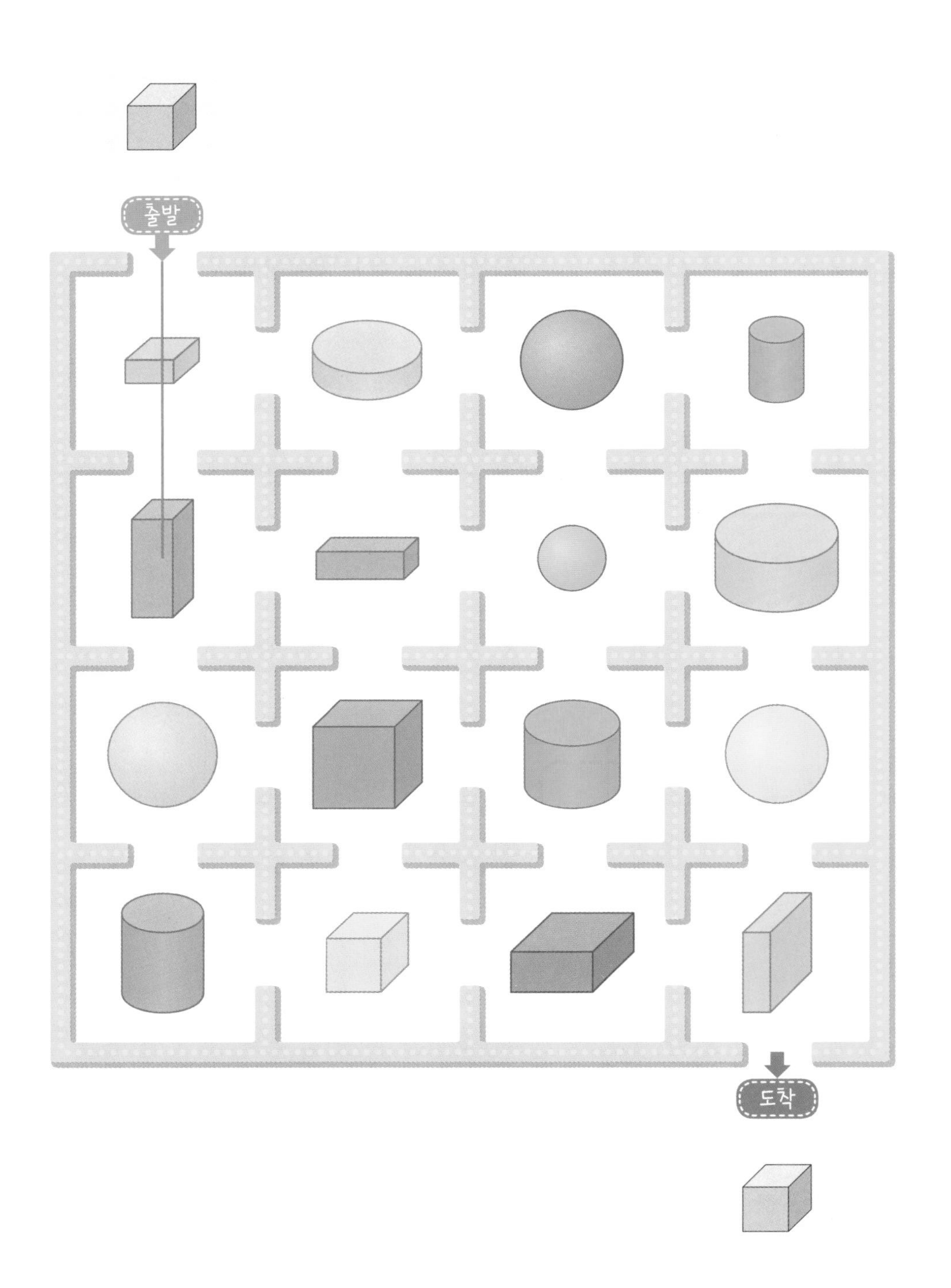

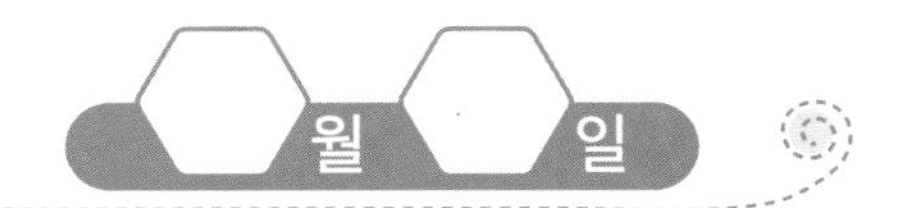


모양만 따라 선을 그어 미로를 빠져나가 보세요.

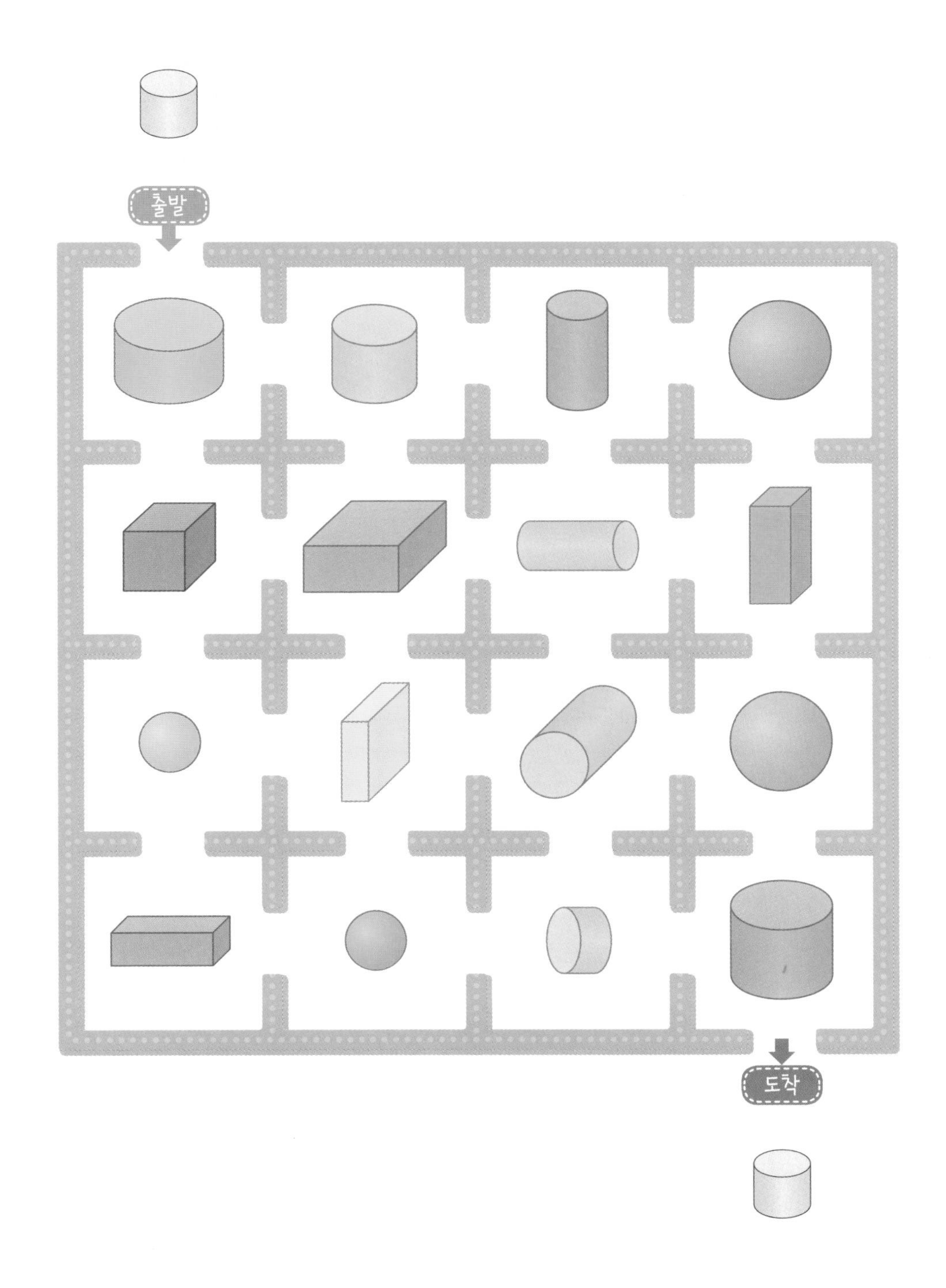

## PLUS 2 규칙 미로

주어진 모양의 순서대로 선을 그어 미로를 빠져나가 보세요.

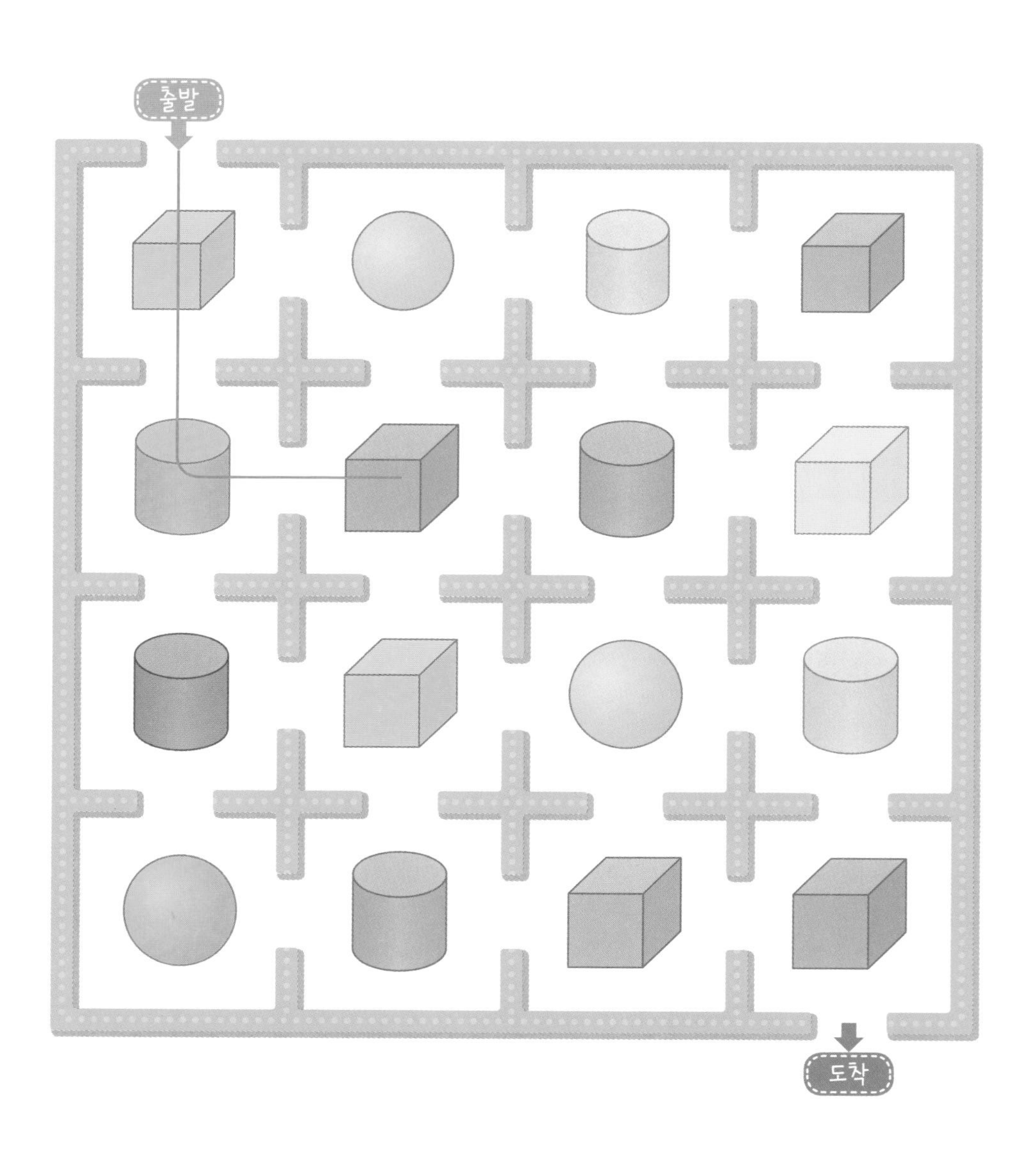

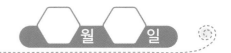

주어진 모양의 순서대로 선을 그어 미로를 빠져나가 보세요.

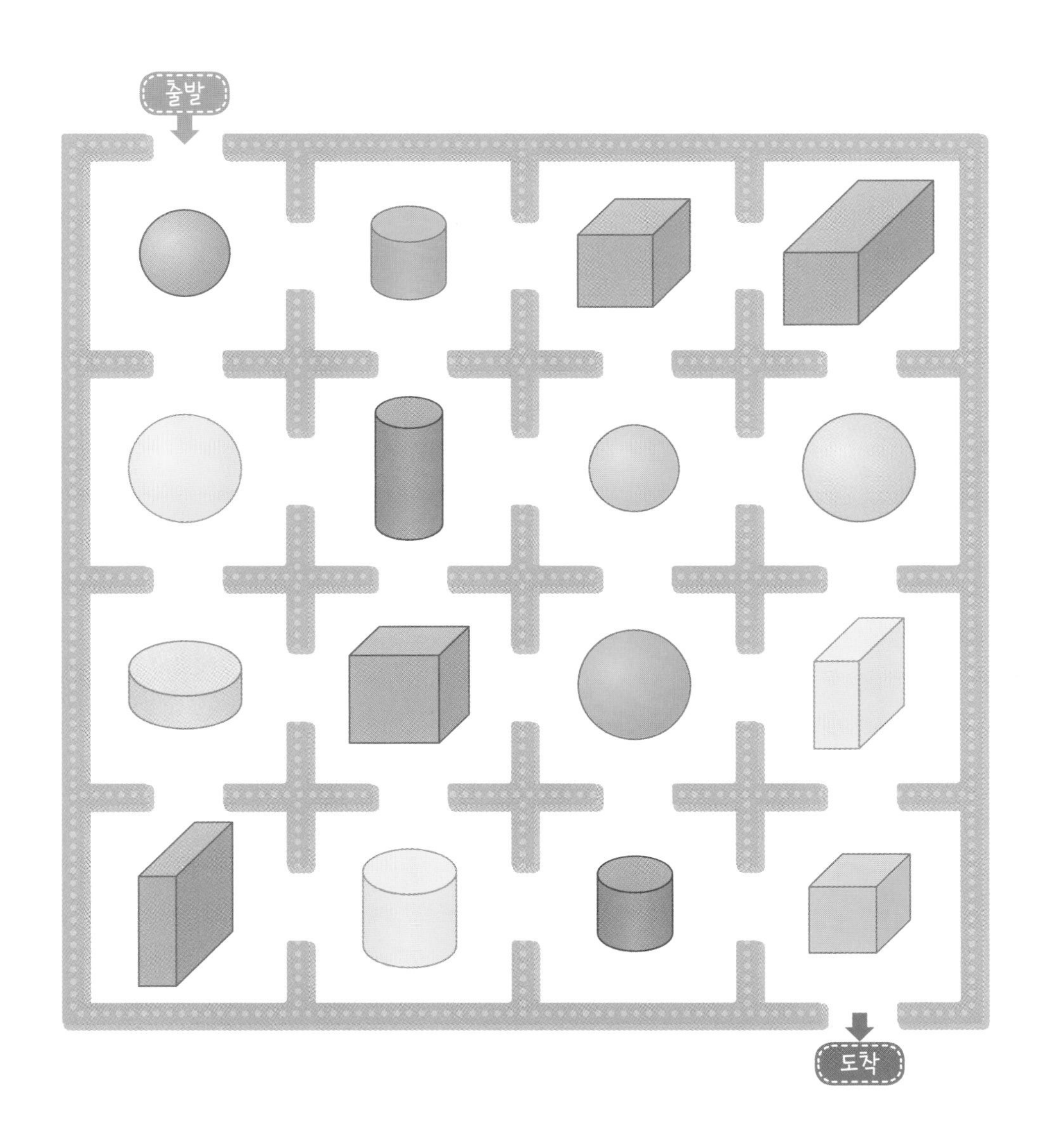

# 이용한 블록 찾기

미로를 빠져나가며 모은 블록으로 모양을 만듭니다. 알맞게 선을 그어 보세요.

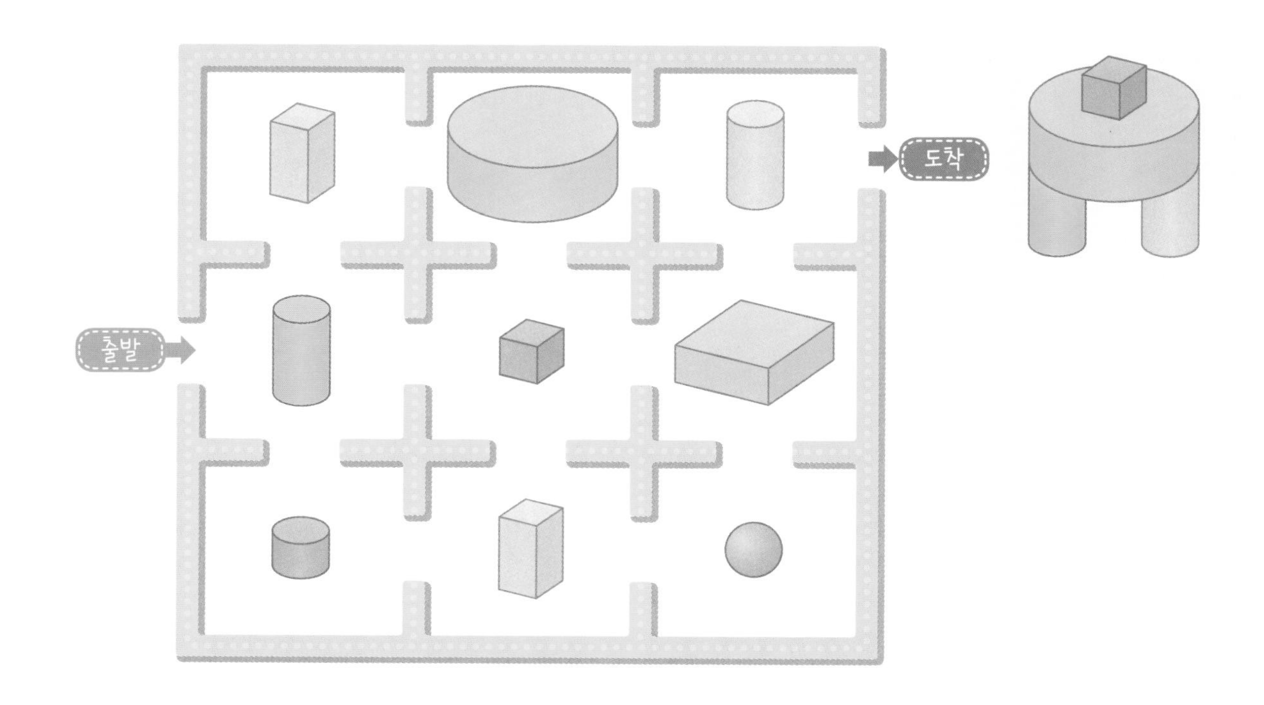


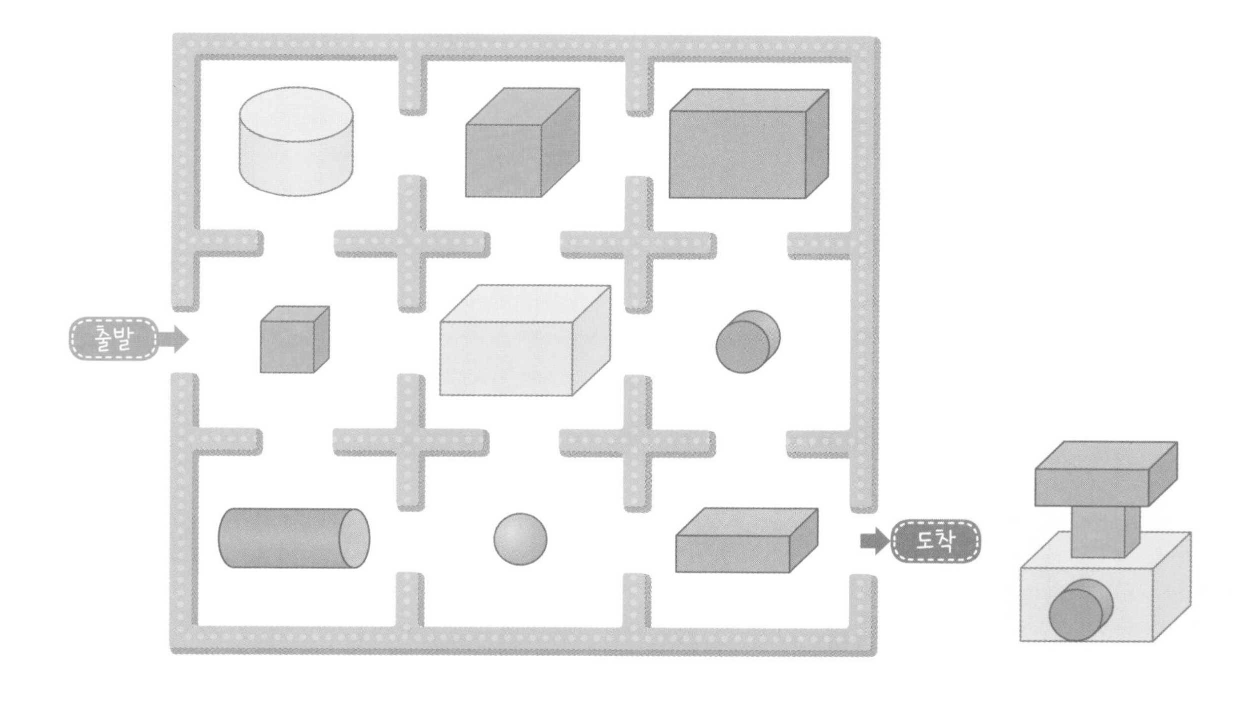

모양을 만드는 데 이용한 블록을 따라 선을 그어 보세요.

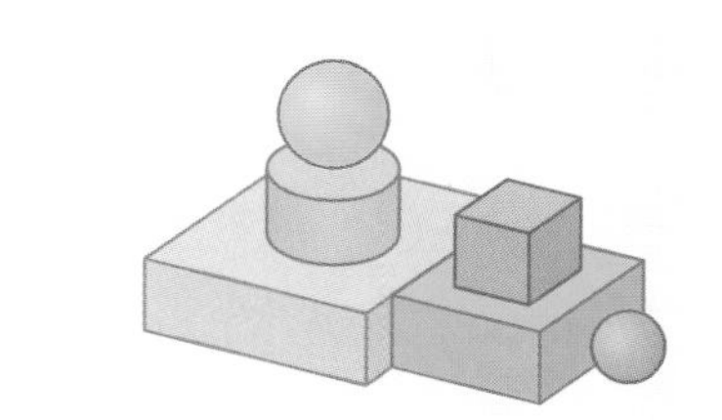

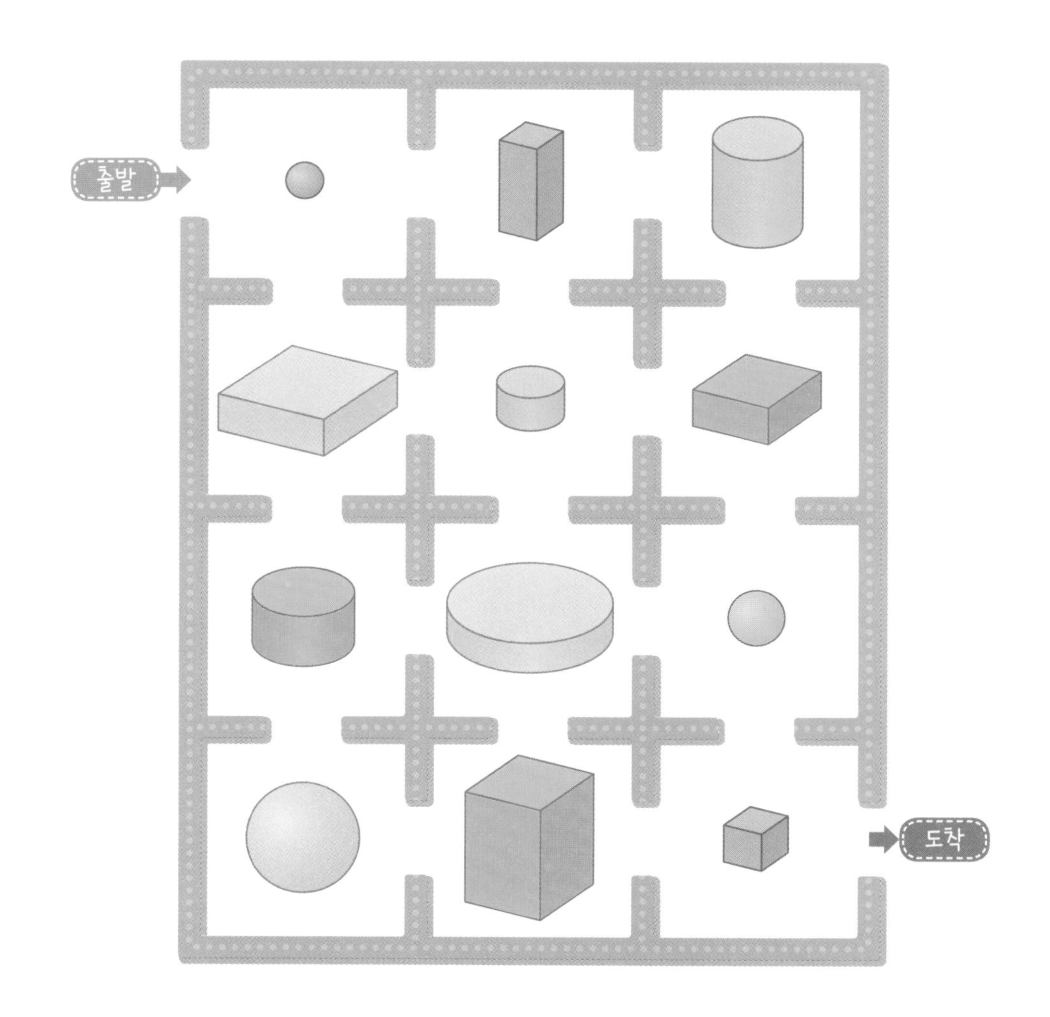

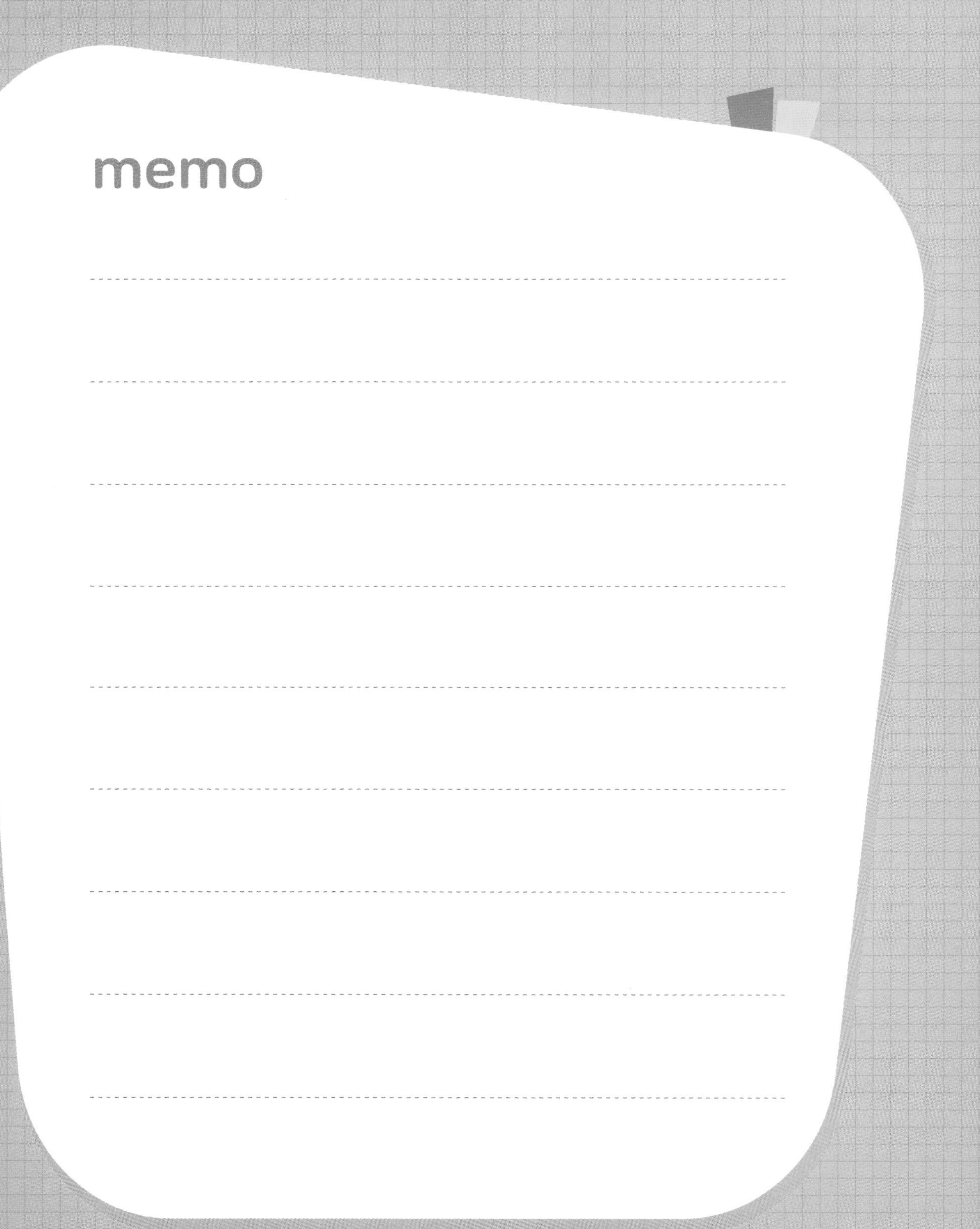
memo

# 형성평가

# 형성평가 1회

**1** 음료수 캔과 같은 모양에 ◯표 하세요.

(　　　)

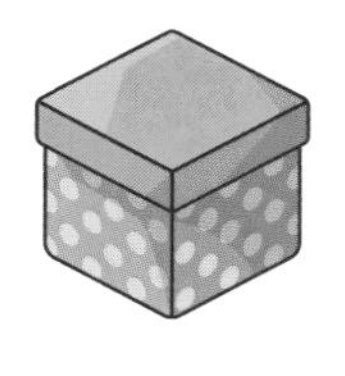
(　　　)

(　　　)

**2** 같은 모양끼리 이어 보세요.

•　　　　　　•
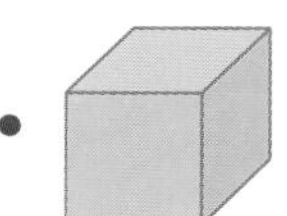

•　　　　　　•
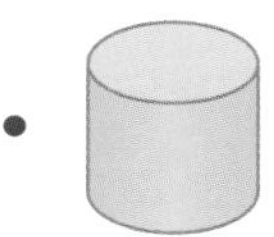

•　　　　　　•
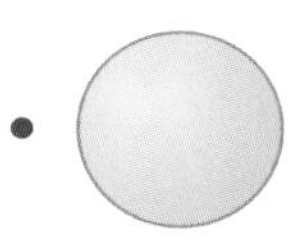

**3** 보이는 모양을 보고 알맞은 모양에 ◯표 하세요.

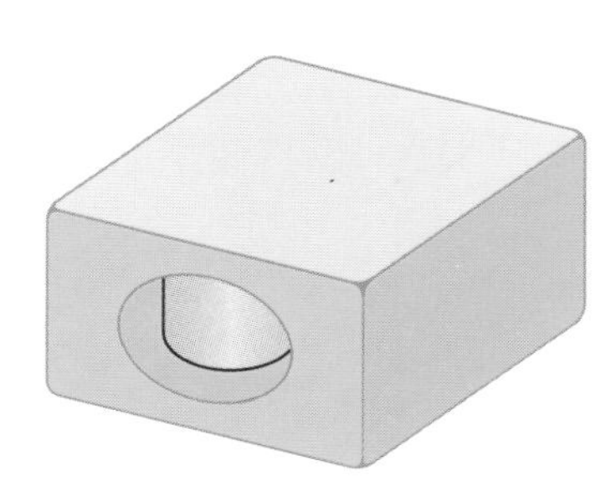

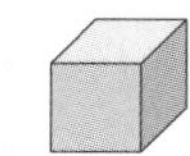
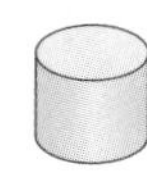
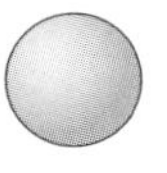

**4** 나머지와 다른 모양 하나를 찾아 번호를 써 보세요.

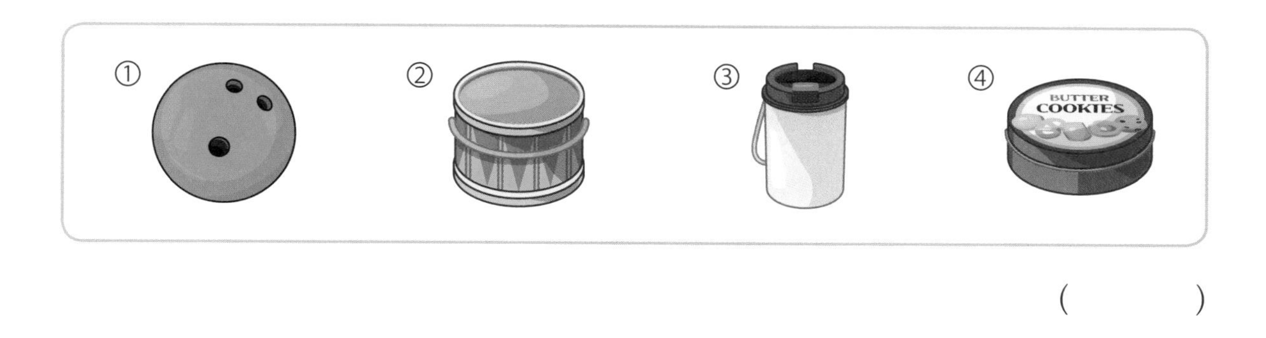


( )

**5** 모양을 만드는 데 이용한 ▢, ⌭ 모양은 각각 몇 개일까요?

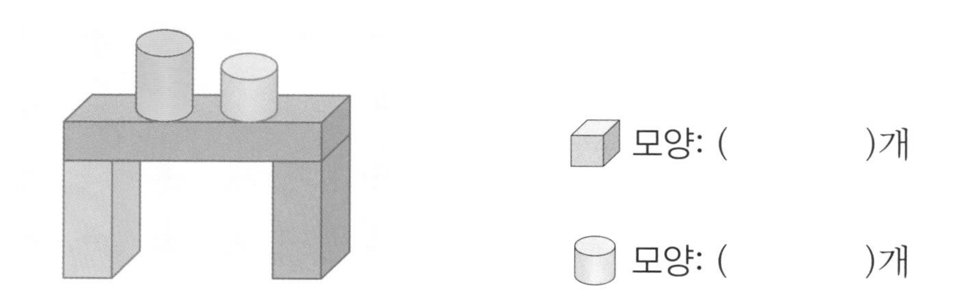


**6** 민지와 우재가 만든 모양입니다. 두 사람이 모두 이용한 모양에 ◯표 하세요.

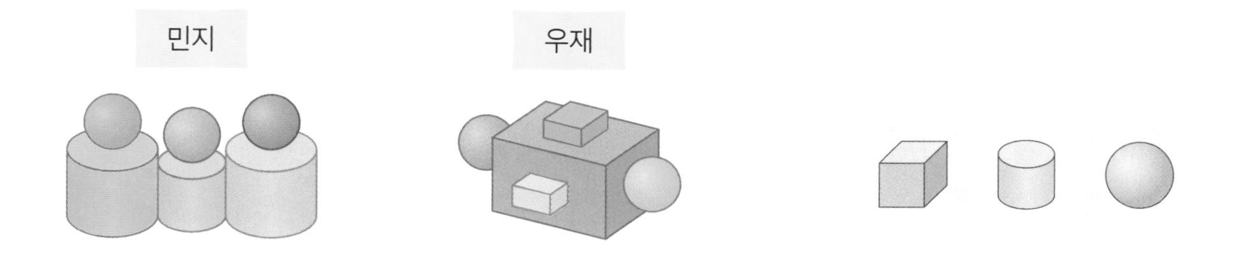

# 형성평가 2회

1 모양에는 □표, 모양에는 △표, 모양에는 ○표 하세요.

( ) ( ) ( )

2 모양에 알맞은 물건을 찾아 이어 보세요.

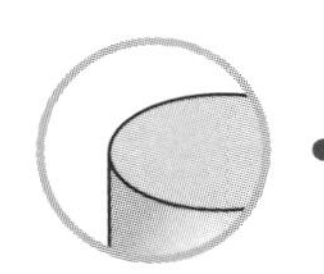
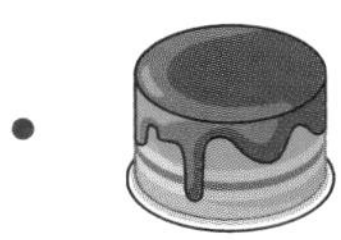
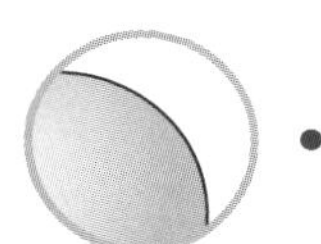

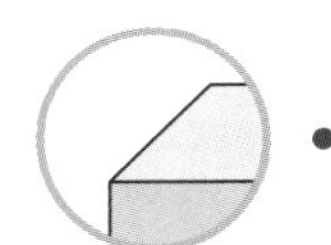

3 구멍 안으로 보이는 모양 2개에 각각 ○표 하세요.

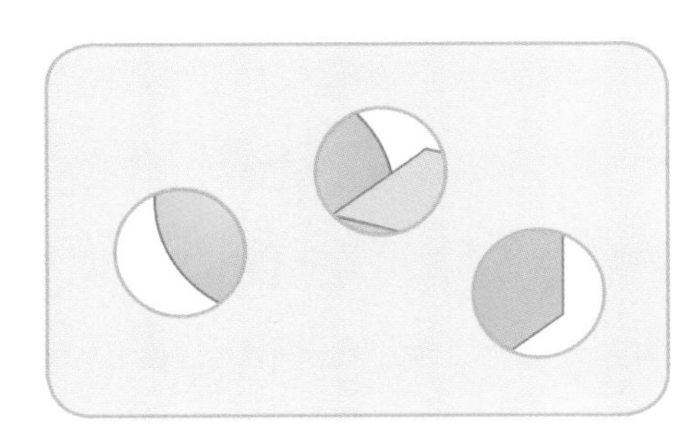
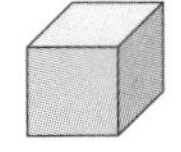
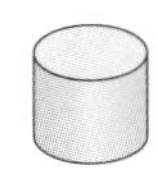

맞힌 문항 수: ________ 문항 / 6문항

4 모양이 같은 물건 2개를 찾아 각각 번호를 써 보세요.

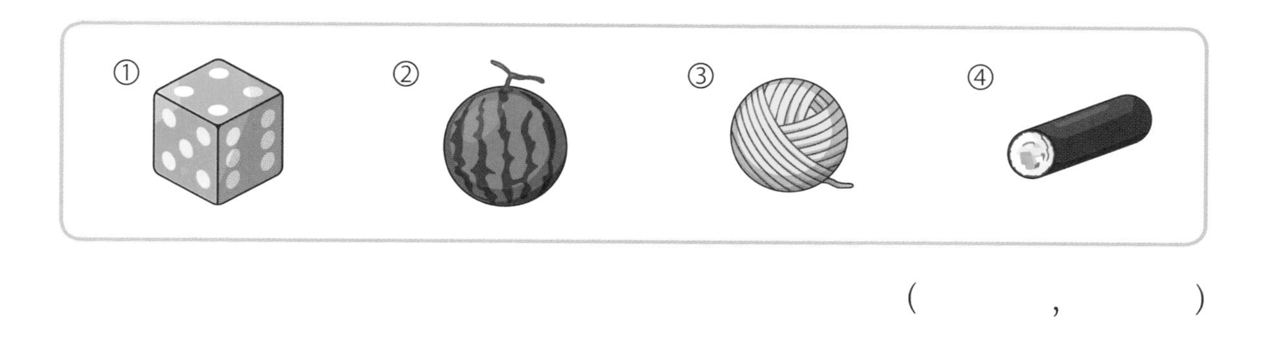


( , )

5 가장 많은 모양에 ◯표, 가장 적은 모양에 △표 하세요.

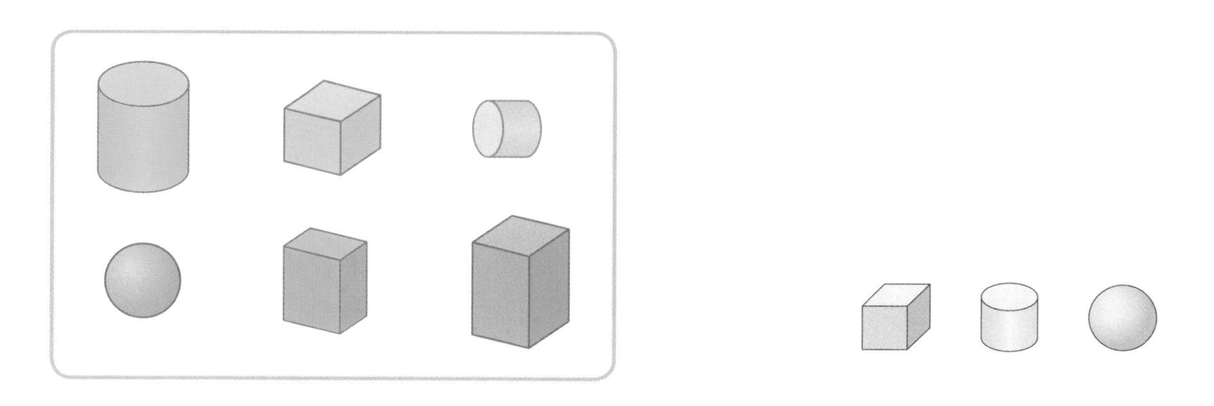

6 모양을 만드는 데 이용하지 않은 모양에 ×표 하세요.

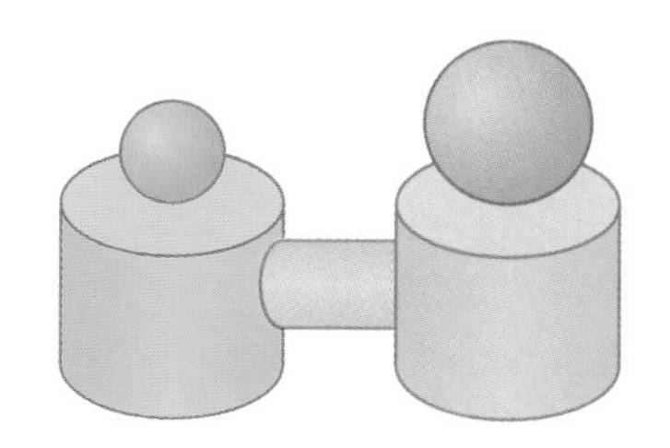

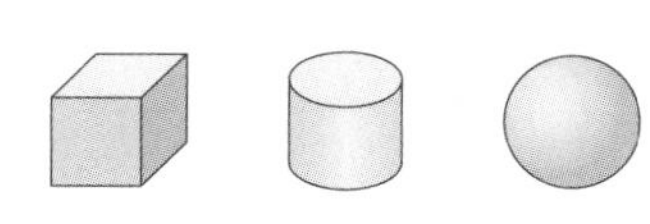

memo

하루 한 장 60일 집중 완성

# 교과도형

7세~초1

# P1

입체 모양 알기

# 정 답

## P1

입체 모양 알기

# 1주차 , , 모양

8쪽·9쪽

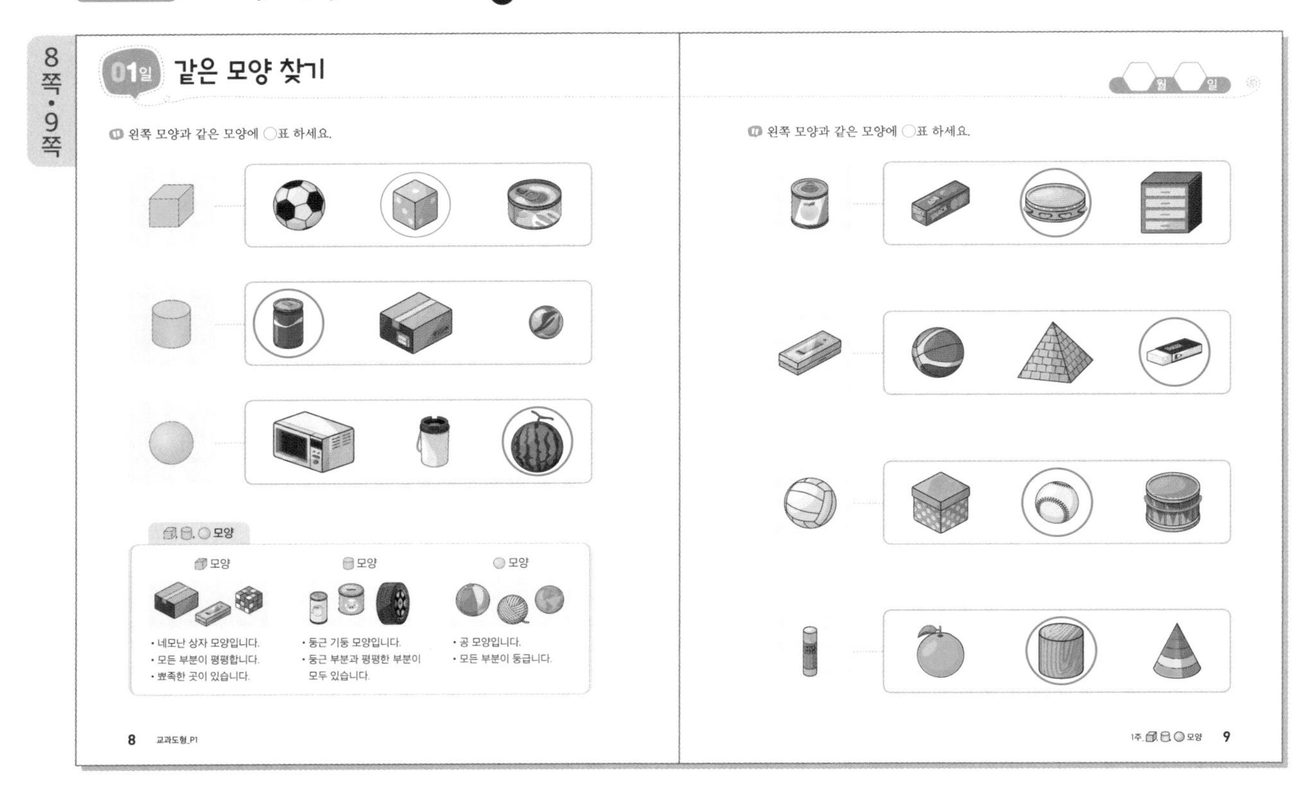

## 01일 같은 모양 찾기

월 일

왼쪽 모양과 같은 모양에 ○표 하세요.

, , 모양

모양
- 네모난 상자 모양입니다.
- 모든 부분이 평평합니다.
- 뾰족한 곳이 있습니다.

모양
- 둥근 기둥 모양입니다.
- 둥근 부분과 평평한 부분이 모두 있습니다.

모양
- 공 모양입니다.
- 모든 부분이 둥급니다.

왼쪽 모양과 같은 모양에 ○표 하세요.

8 교과도형_P1

1주. , , 모양 9

10쪽·11쪽

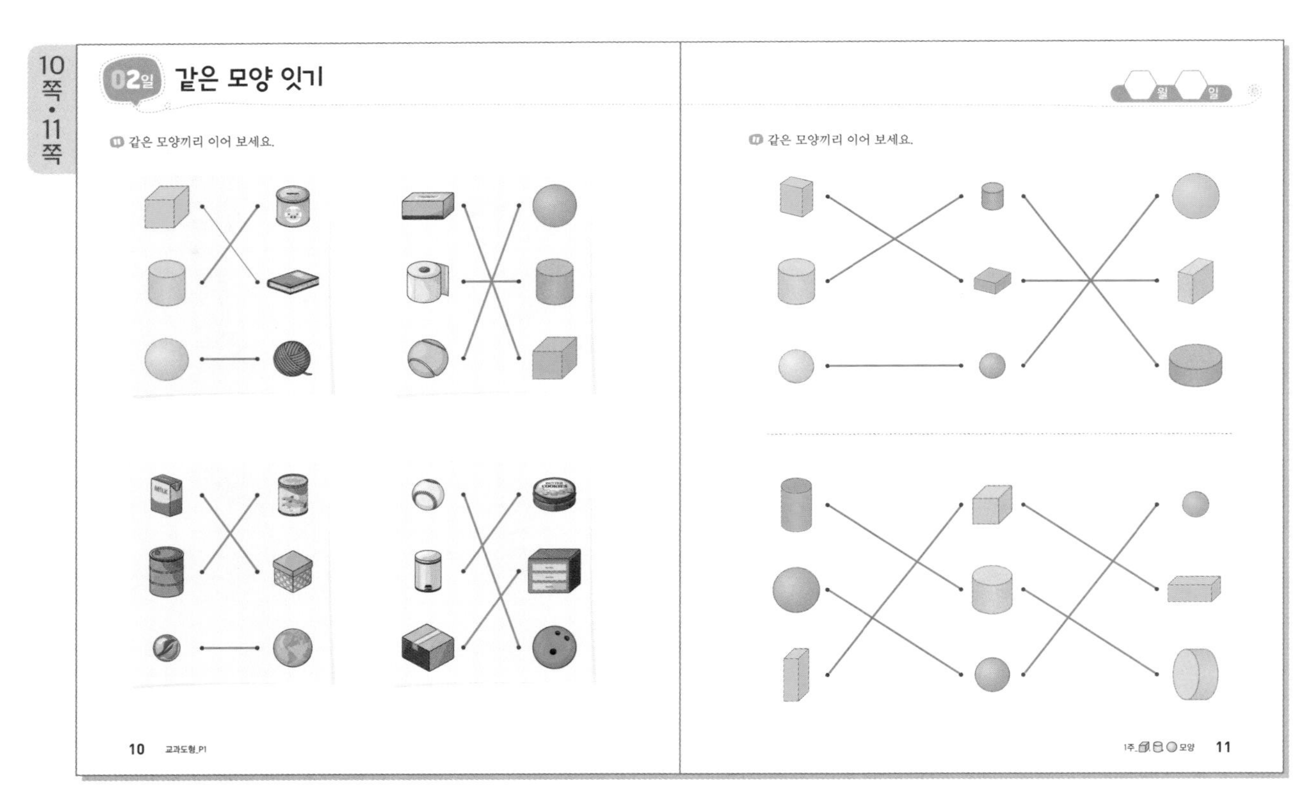

## 02일 같은 모양 잇기

월 일

같은 모양끼리 이어 보세요.

같은 모양끼리 이어 보세요.

10 교과도형_P1

1주. , , 모양 11

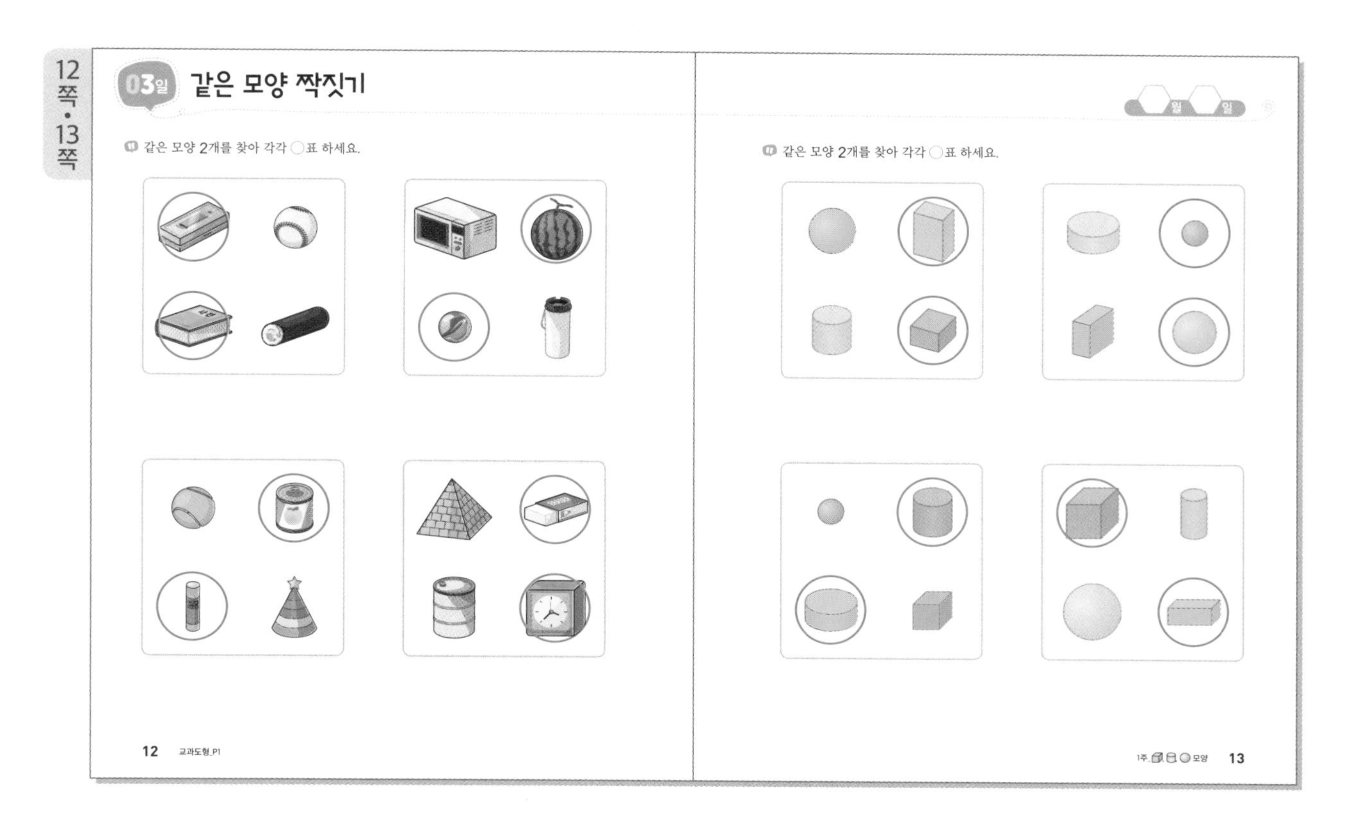
12쪽·13쪽

03일 같은 모양 짝짓기

월 일

① 같은 모양 2개를 찾아 각각 ○표 하세요.

① 같은 모양 2개를 찾아 각각 ○표 하세요.

12 교과도형_P1

1주 모양 13

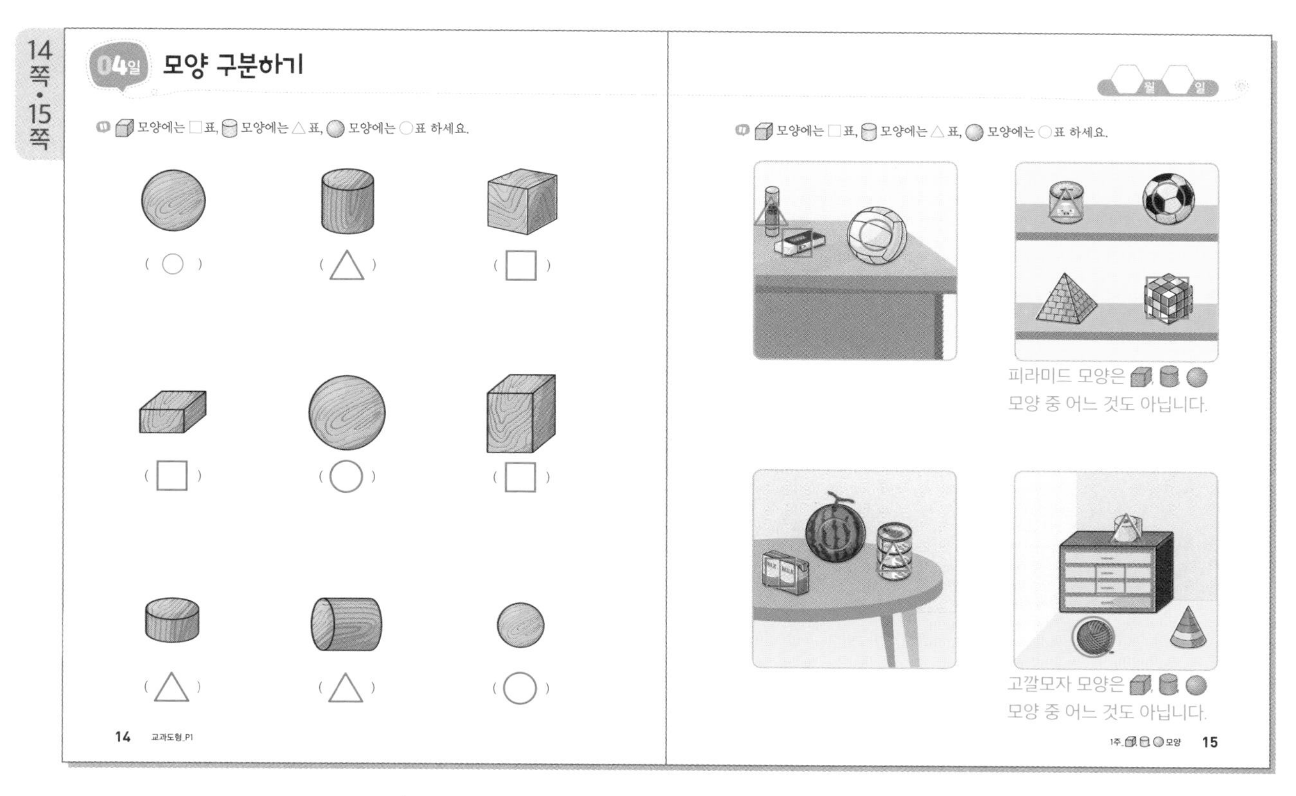
14쪽·15쪽

04일 모양 구분하기

월 일

① 모양에는 □표, 모양에는 △표, 모양에는 ○표 하세요.

( ○ ) ( △ ) ( □ )

( □ ) ( ○ ) ( □ )

( △ ) ( △ ) ( ○ )

① 모양에는 □표, 모양에는 △표, 모양에는 ○표 하세요.

피라미드 모양은 , , 모양 중 어느 것도 아닙니다.

고깔모자 모양은 , , 모양 중 어느 것도 아닙니다.

14 교과도형_P1

1주 모양 15

16쪽·17쪽

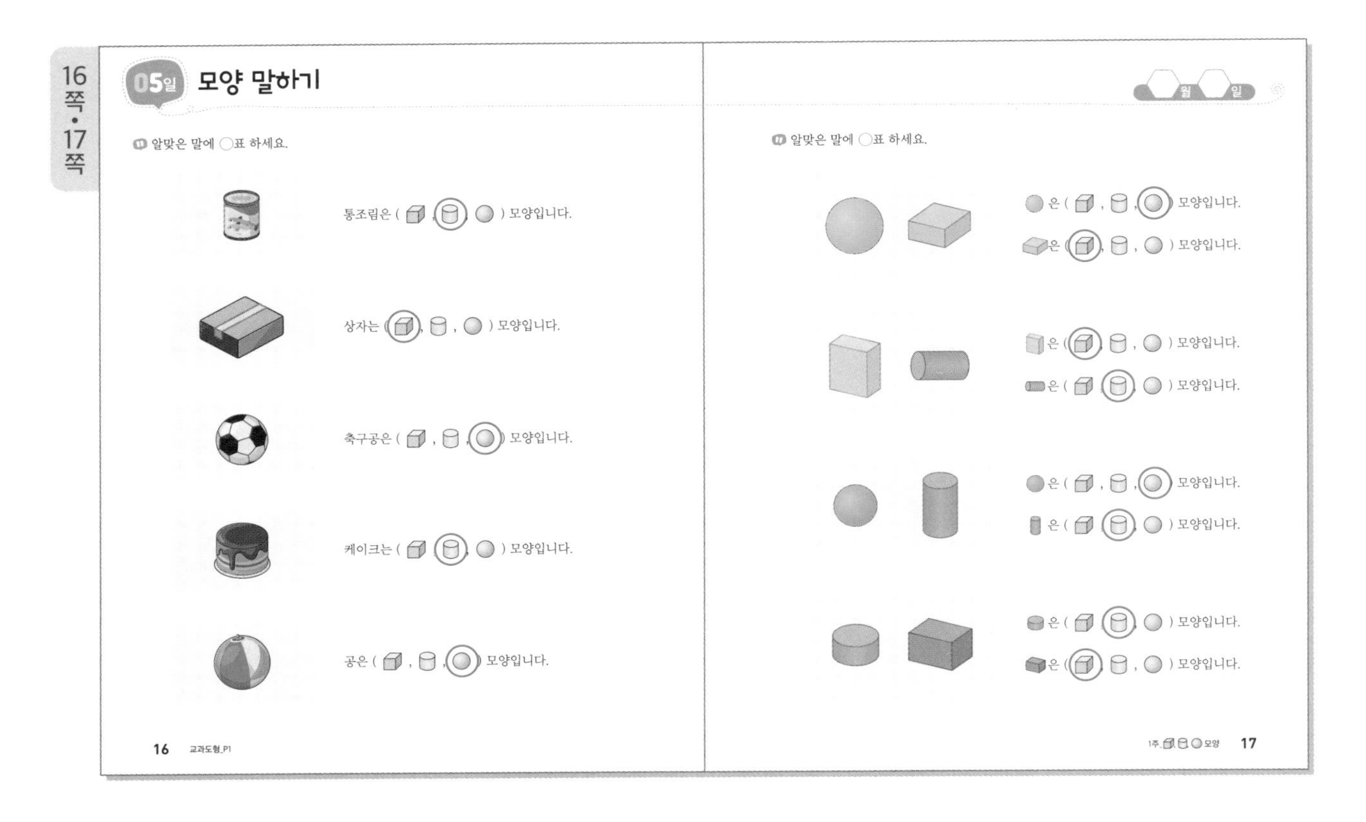
05일 모양 말하기

알맞은 말에 ○표 하세요.

통조림은 ( , , ) 모양입니다.

상자는 ( , , ) 모양입니다.

축구공은 ( , , ) 모양입니다.

케이크는 ( , , ) 모양입니다.

공은 ( , , ) 모양입니다.

16 교과도형_P1

월 일

알맞은 말에 ○표 하세요.

은 ( , , ) 모양입니다.

은 ( , , ) 모양입니다.

은 ( , , ) 모양입니다.

은 ( , , ) 모양입니다.

은 ( , , ) 모양입니다.

은 ( , , ) 모양입니다.

은 ( , , ) 모양입니다.

은 ( , , ) 모양입니다.

1주 모양 17

18쪽

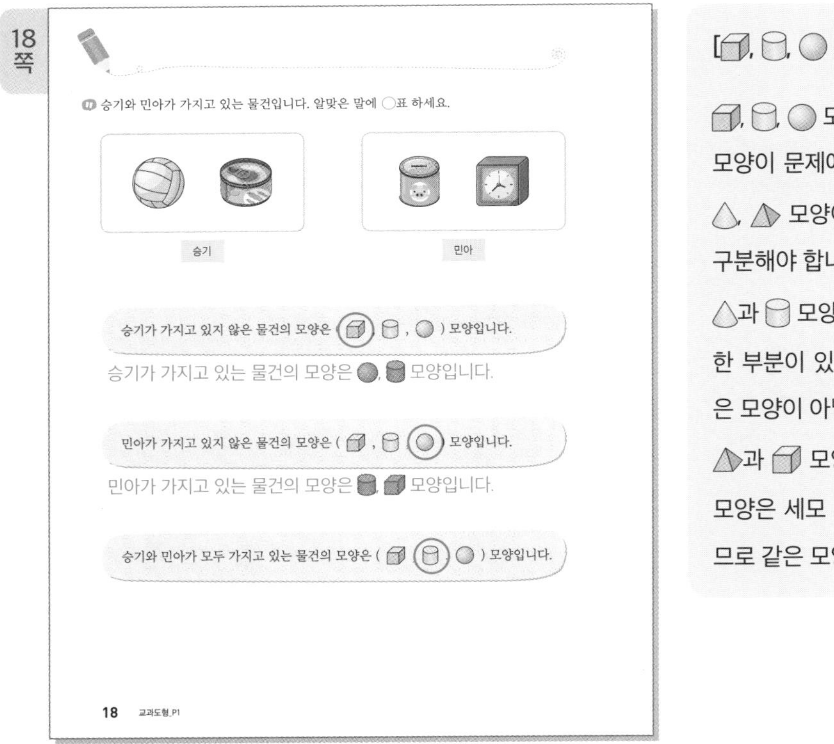
승기와 민아가 가지고 있는 물건입니다. 알맞은 말에 ○표 하세요.

승기

민아

승기가 가지고 있지 않은 물건의 모양은 ( , , ) 모양입니다.

승기가 가지고 있는 물건의 모양은 , 모양입니다.

민아가 가지고 있지 않은 물건의 모양은 ( , , ) 모양입니다.

민아가 가지고 있는 물건의 모양은 , 모양입니다.

승기와 민아가 모두 가지고 있는 물건의 모양은 ( , , ) 모양입니다.

18 교과도형_P1

### [ , , 모양이 아닌 모양의 제시]

, , 모양이 아닌 (원뿔)이나 (사각뿔) 등의 모양이 문제에 제시되는 경우가 있습니다. 이러한 경우 , 모양이 , , 모양과 같은 모양이 아님을 구분해야 합니다.

과 모양 모두 둥근 부분이 있지만 모양은 뾰족한 부분이 있고, 모양은 뾰족한 부분이 없으므로 같은 모양이 아닙니다.

과 모양 모두 평평한 부분으로 되어 있지만 모양은 세모 모양이 있고, 모양은 세모 모양이 없으므로 같은 모양이 아닙니다.

# 2주차 모양 관찰

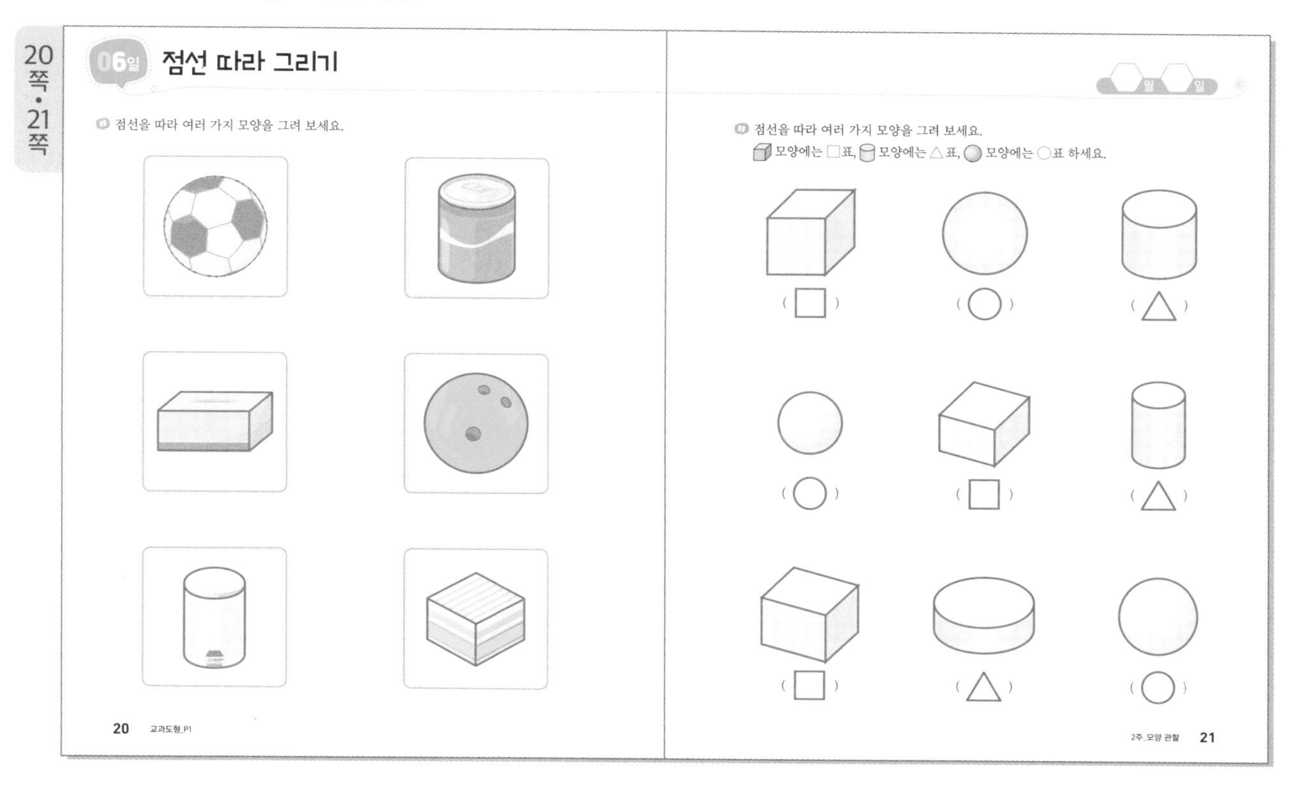

20쪽 · 21쪽

06일 점선 따라 그리기

점선을 따라 여러 가지 모양을 그려 보세요.

점선을 따라 여러 가지 모양을 그려 보세요.
모양에는 □표, 모양에는 △표, 모양에는 ○표 하세요.

( □ ) ( ○ ) ( △ )
( ○ ) ( □ ) ( △ )
( □ ) ( △ ) ( ○ )

20 교과도형_P1

2주_모양 관찰 21

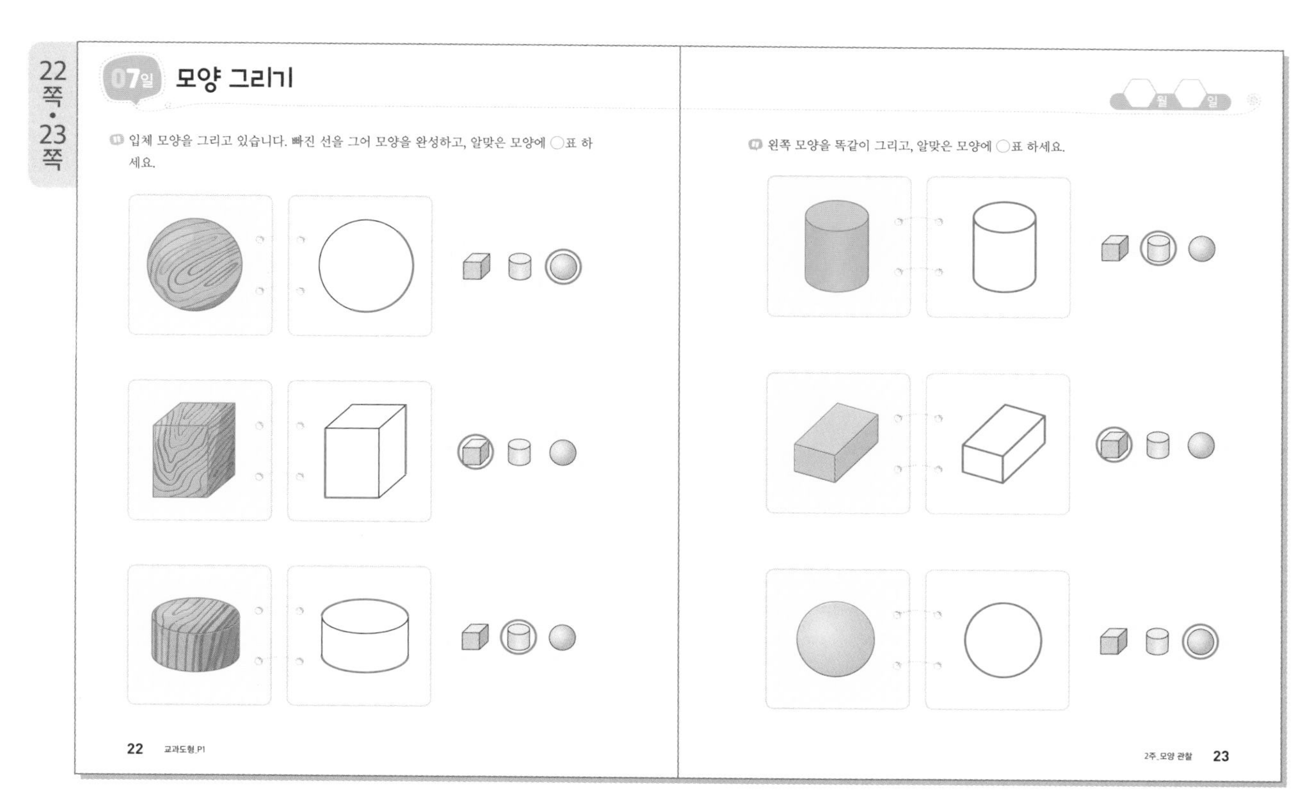

22쪽 · 23쪽

07일 모양 그리기

입체 모양을 그리고 있습니다. 빠진 선을 그어 모양을 완성하고, 알맞은 모양에 ○표 하세요.

왼쪽 모양을 똑같이 그리고, 알맞은 모양에 ○표 하세요.

22 교과도형_P1

2주_모양 관찰 23

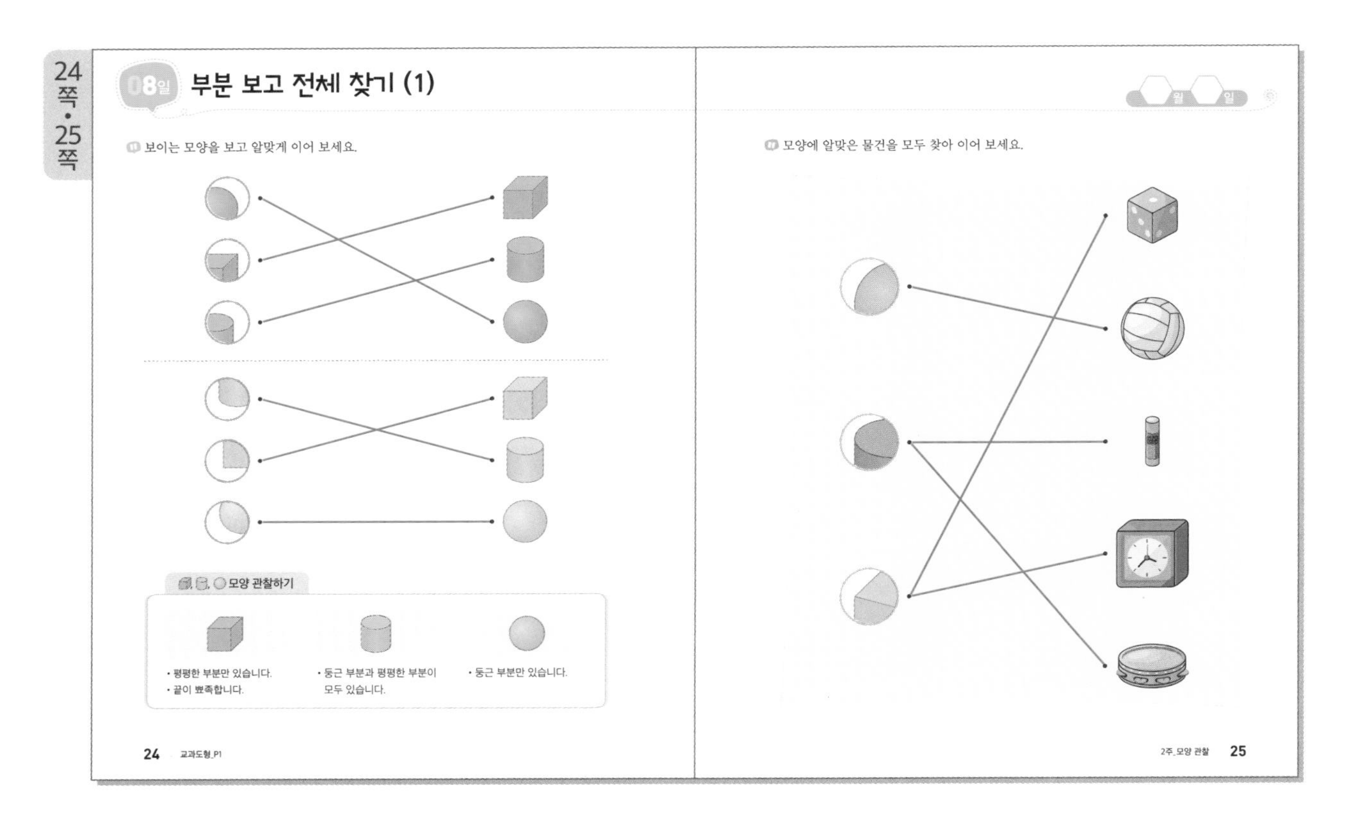

24쪽·25쪽

## 08일 부분 보고 전체 찾기 (1)

월 일

보이는 모양을 보고 알맞게 이어 보세요.

□, ◯, ○ 모양 관찰하기

- 평평한 부분만 있습니다.
- 끝이 뾰족합니다.

- 둥근 부분과 평평한 부분이 모두 있습니다.

- 둥근 부분만 있습니다.

모양에 알맞은 물건을 모두 찾아 이어 보세요.





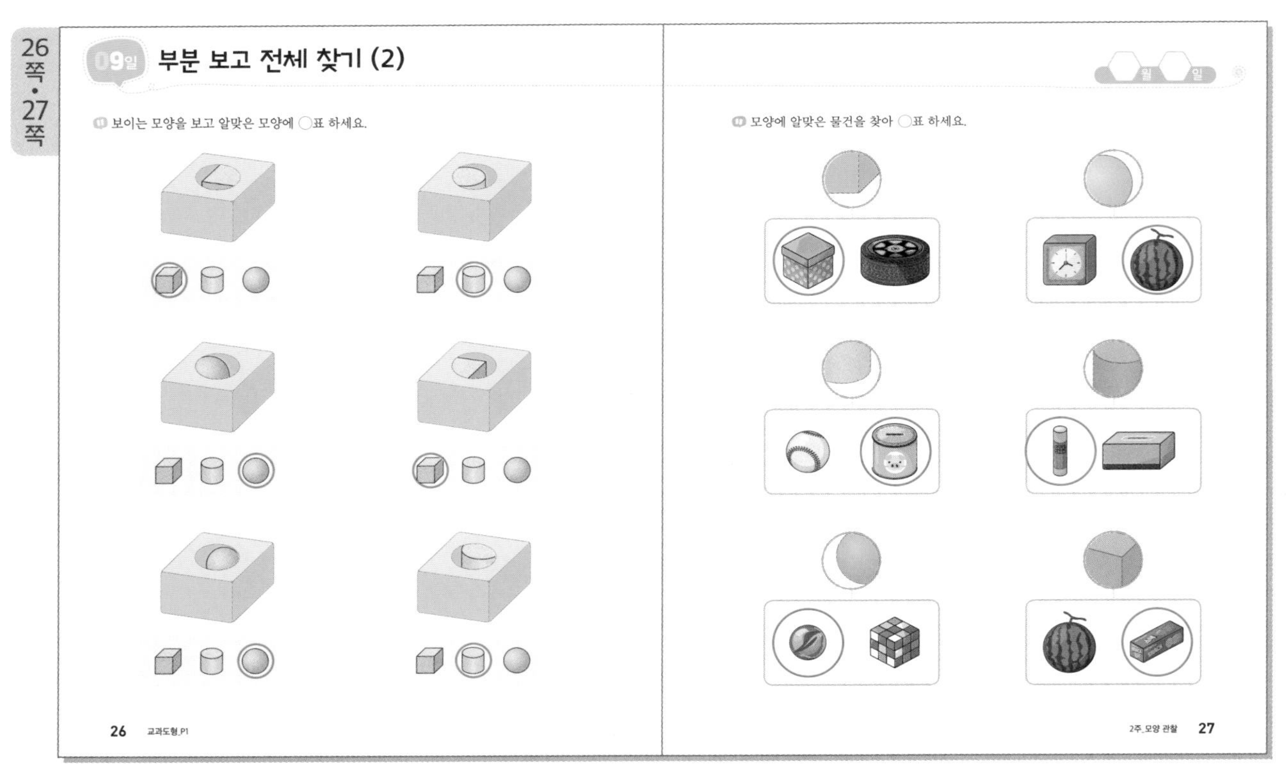

26쪽·27쪽

## 09일 부분 보고 전체 찾기 (2)

월 일

보이는 모양을 보고 알맞은 모양에 ◯표 하세요.

모양에 알맞은 물건을 찾아 ◯표 하세요.

28쪽·29쪽

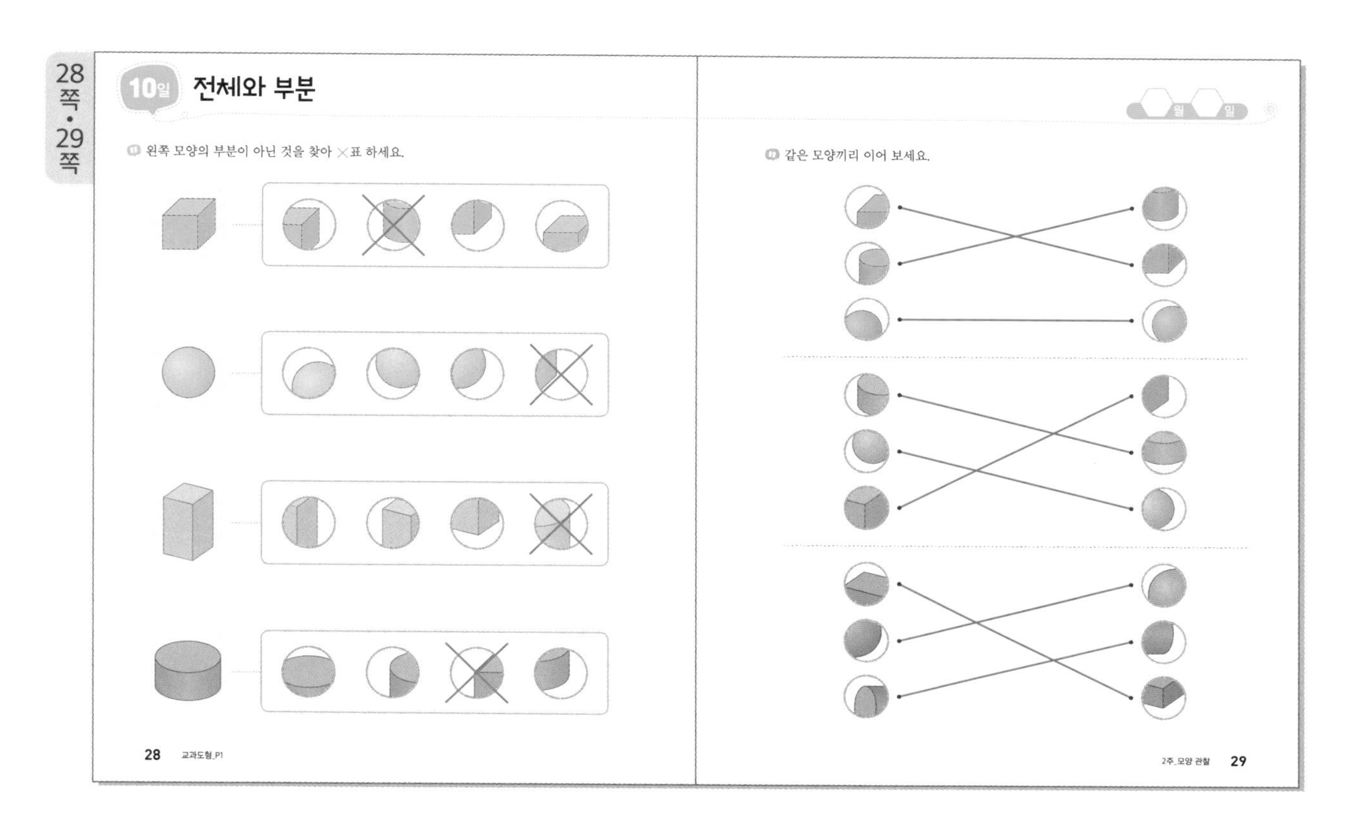
10일 전체와 부분
왼쪽 모양의 부분이 아닌 것을 찾아 ×표 하세요.
월 일
같은 모양끼리 이어 보세요.
28 교과도형_P1
2주_모양 관찰 29

30쪽

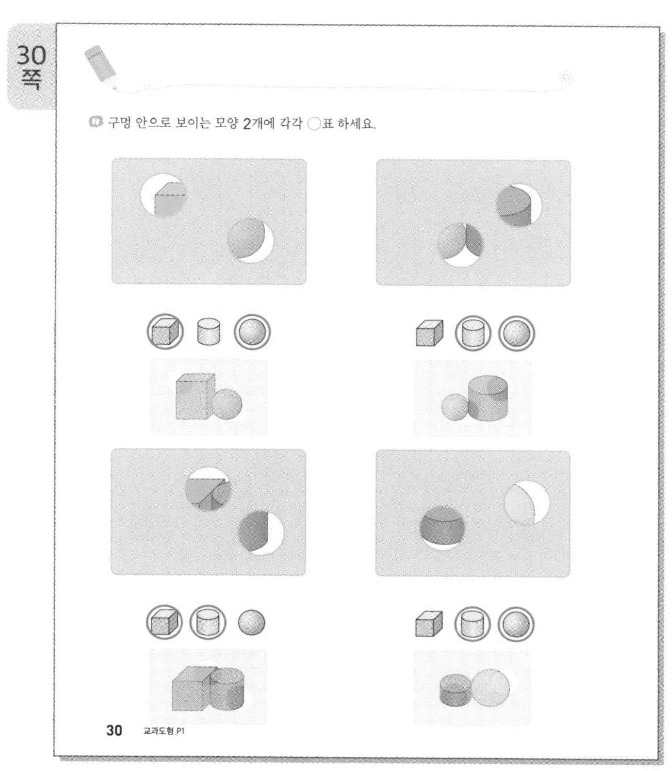
구멍 안으로 보이는 모양 2개에 각각 ○표 하세요.
30 교과도형_P1

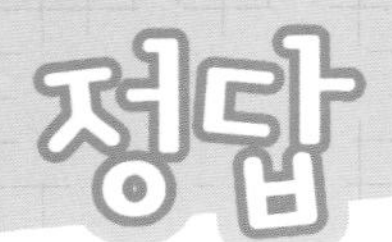

# 3주차 같은 모양 모으기

32쪽·33쪽

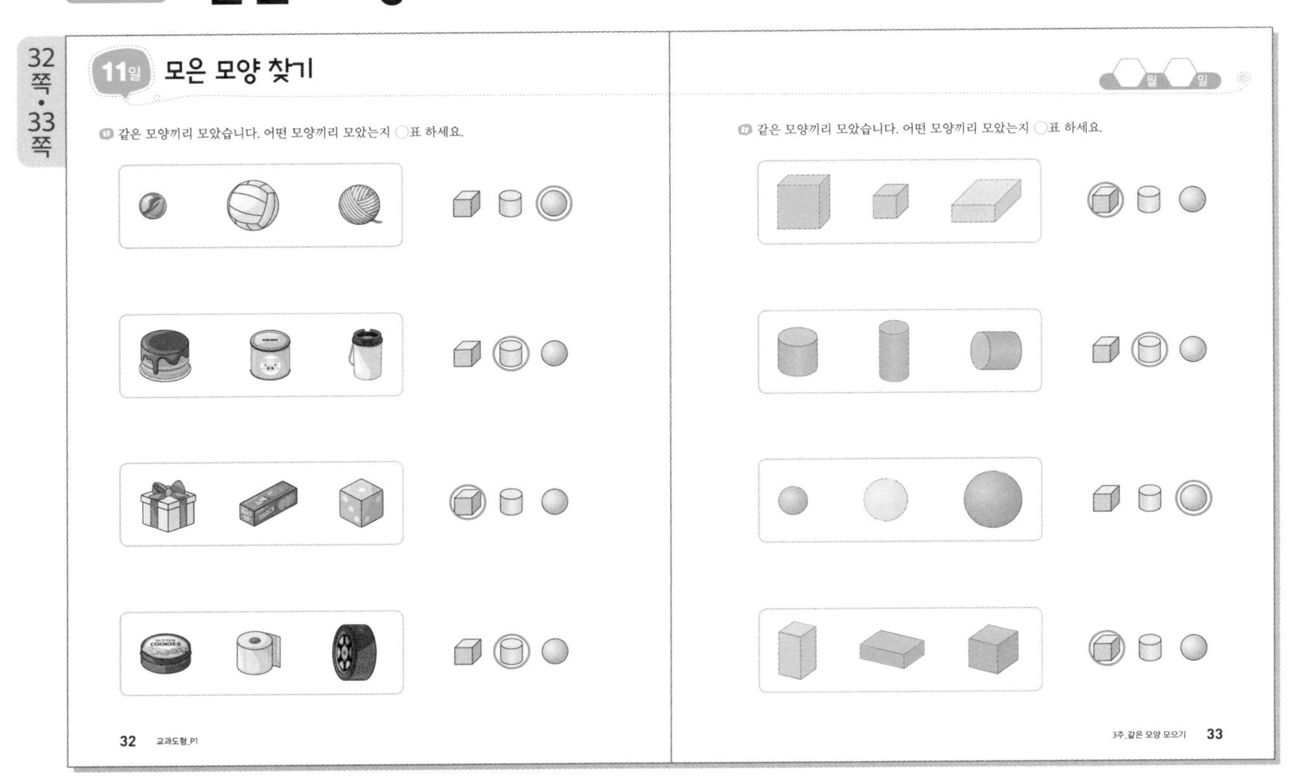

11일 모은 모양 찾기
같은 모양끼리 모았습니다. 어떤 모양끼리 모았는지 ○표 하세요.
월 일
32 교과도형_P1
3주_같은 모양 모으기 33


34쪽·35쪽

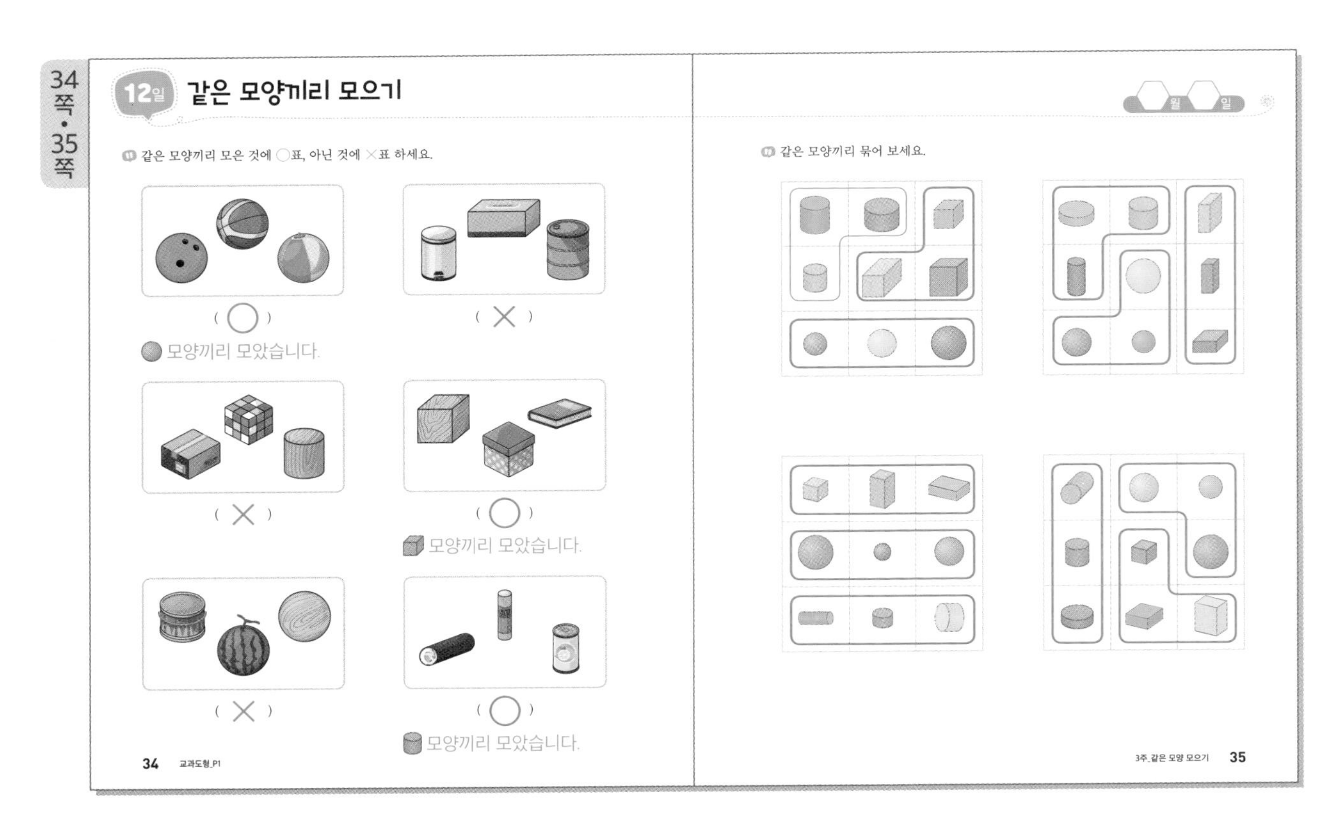

12일 같은 모양끼리 모으기
같은 모양끼리 모은 것에 ○표, 아닌 것에 ×표 하세요.
( ○ )
모양끼리 모았습니다.
( × )
( × )
( ○ )
모양끼리 모았습니다.
( × )
( ○ )
모양끼리 모았습니다.
월 일
같은 모양끼리 묶어 보세요.
34 교과도형_P1
3주_같은 모양 모으기 35

36쪽·37쪽

38쪽·39쪽

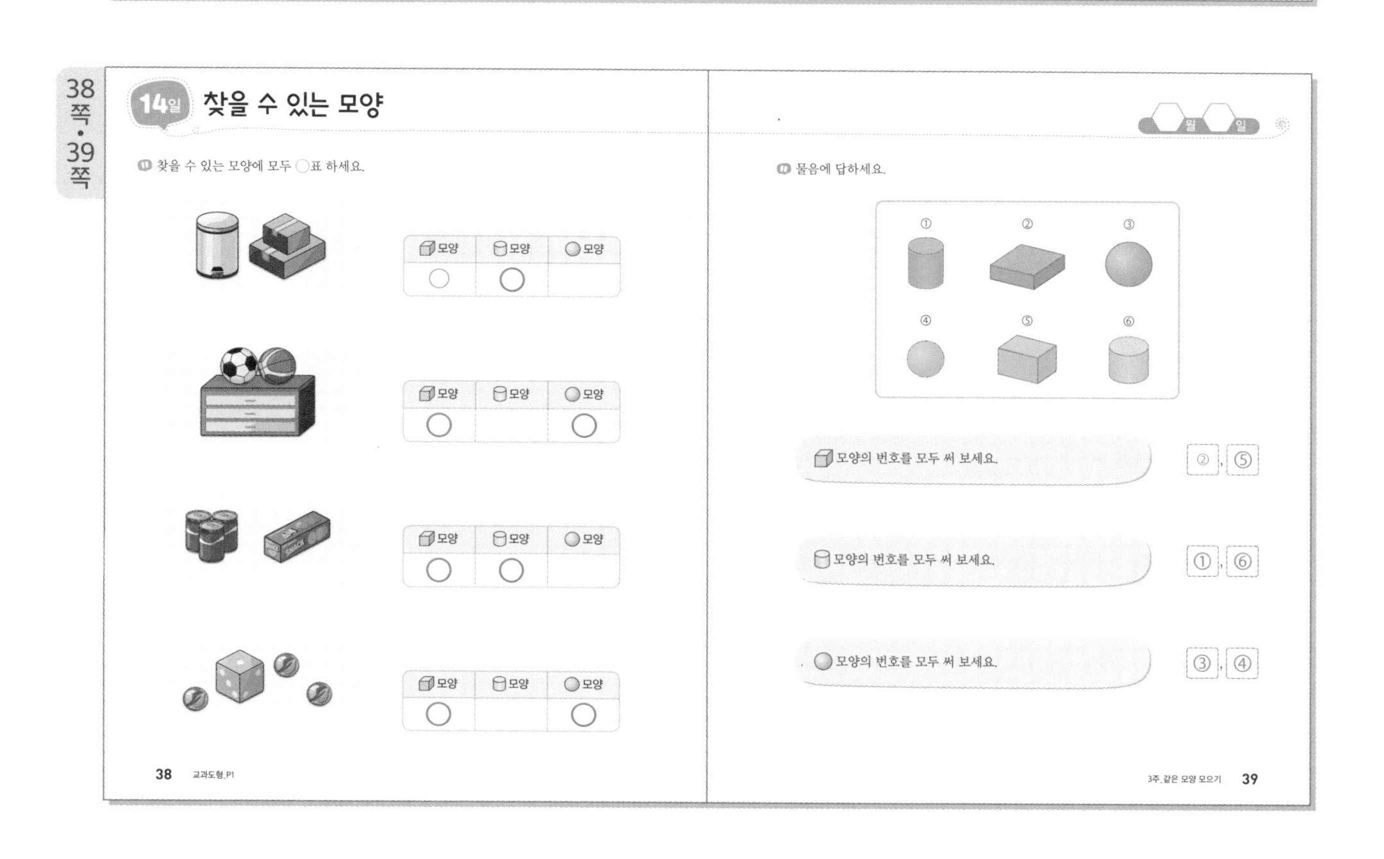

14일 찾을 수 있는 모양
찾을 수 있는 모양에 모두 ○표 하세요.
모양
모양
모양
물음에 답하세요.
모양의 번호를 모두 써 보세요. ②, ⑤
모양의 번호를 모두 써 보세요. ①, ⑥
모양의 번호를 모두 써 보세요. ③, ④
38 교과도형_P1
3주_같은 모양 모으기 39

40쪽·41쪽

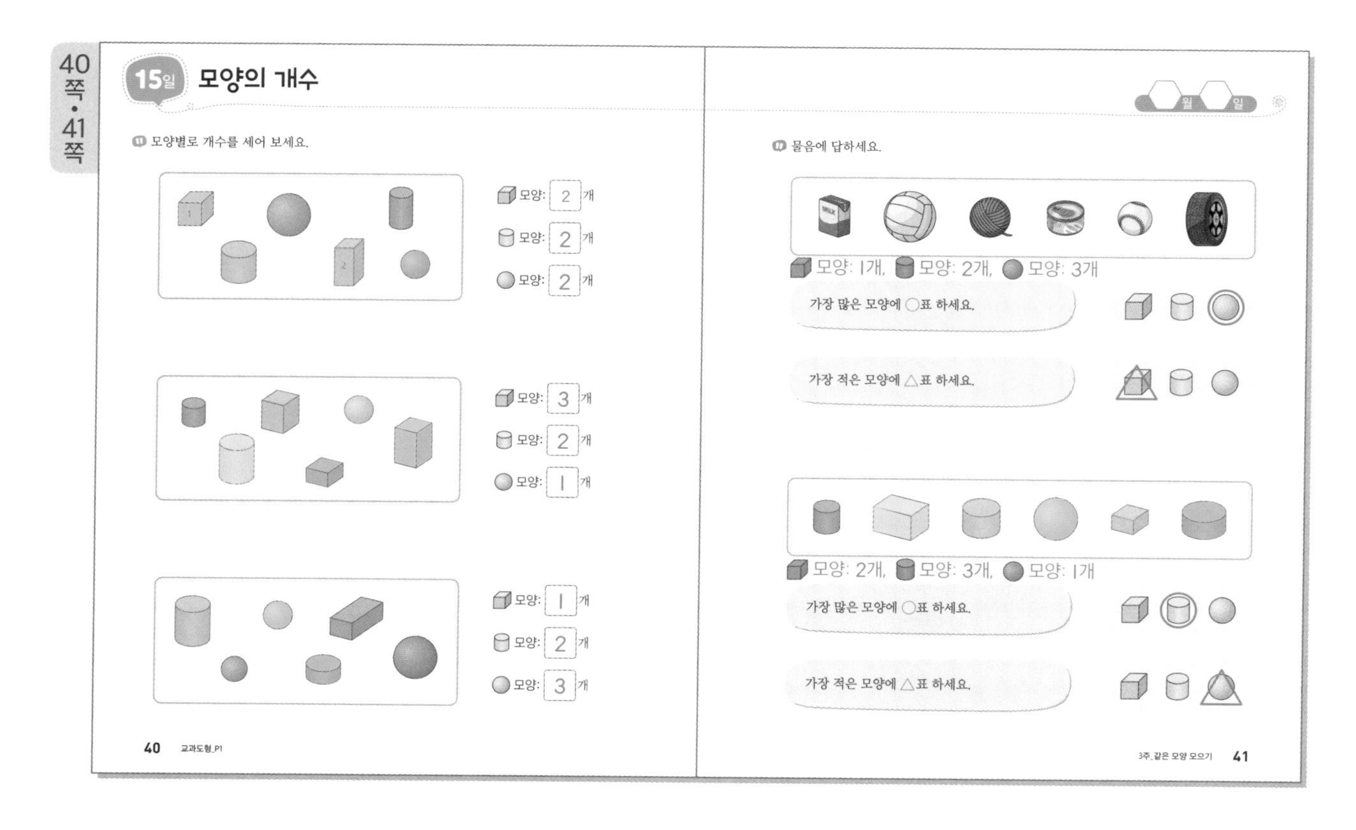

## 15일 모양의 개수

모양별로 개수를 세어 보세요.

모양: 2 개
모양: 2 개
모양: 2 개

모양: 3 개
모양: 2 개
모양: 1 개

모양: 1 개
모양: 2 개
모양: 3 개

40 교과도형_P1

월 일

물음에 답하세요.

모양: 1개, 모양: 2개, 모양: 3개

가장 많은 모양에 ○표 하세요.

가장 적은 모양에 △표 하세요.

모양: 2개, 모양: 3개, 모양: 1개

가장 많은 모양에 ○표 하세요.

가장 적은 모양에 △표 하세요.

3주. 같은 모양 모으기 41

42쪽

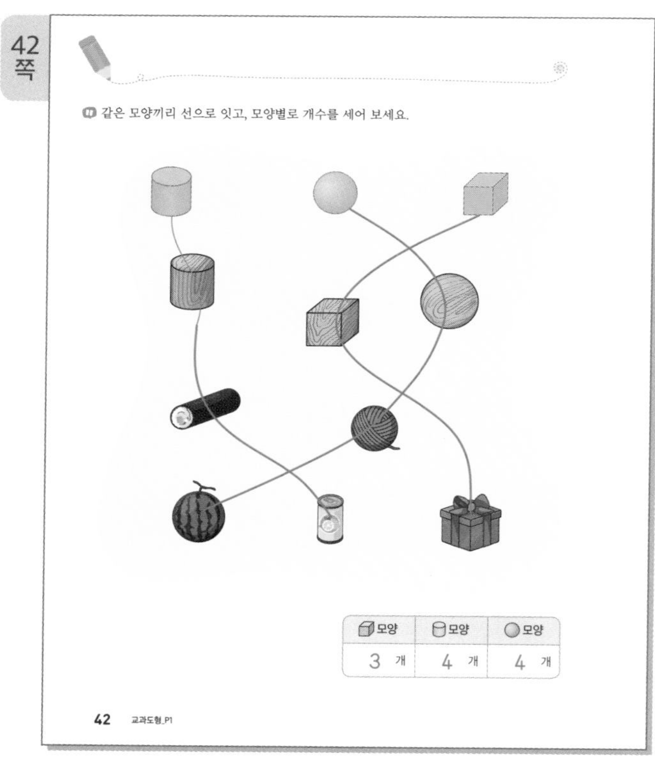

같은 모양끼리 선으로 잇고, 모양별로 개수를 세어 보세요.

| 모양 | 모양 | 모양 |
|---|---|---|
| 3 개 | 4 개 | 4 개 |

42 교과도형_P1

### [직관적으로 , ,  모양 찾기]

도형을 처음 학습할 때는 , ,  모양에 대한 정확한 개념보다는 직관이 형성되는 것이 중요합니다. 수학적으로 정확한 , ,  모양이 아니더라도 일상생활에서 찾을 수 있는 모양 중 직관적으로 , ,  모양인 것은 모두 인정합니다.

또한 , ,  모양이 아닌 모양(예를 들어 ,  모양)과 , ,  모양을 비교하면서 모양의 특징을 직관적으로 파악하는 것이 중요합니다. 이러한 과정을 통해 점차적으로 모양을 추상화하는 단계로 나아갑니다.

# 4주차 모양 만들기

44쪽 • 45쪽

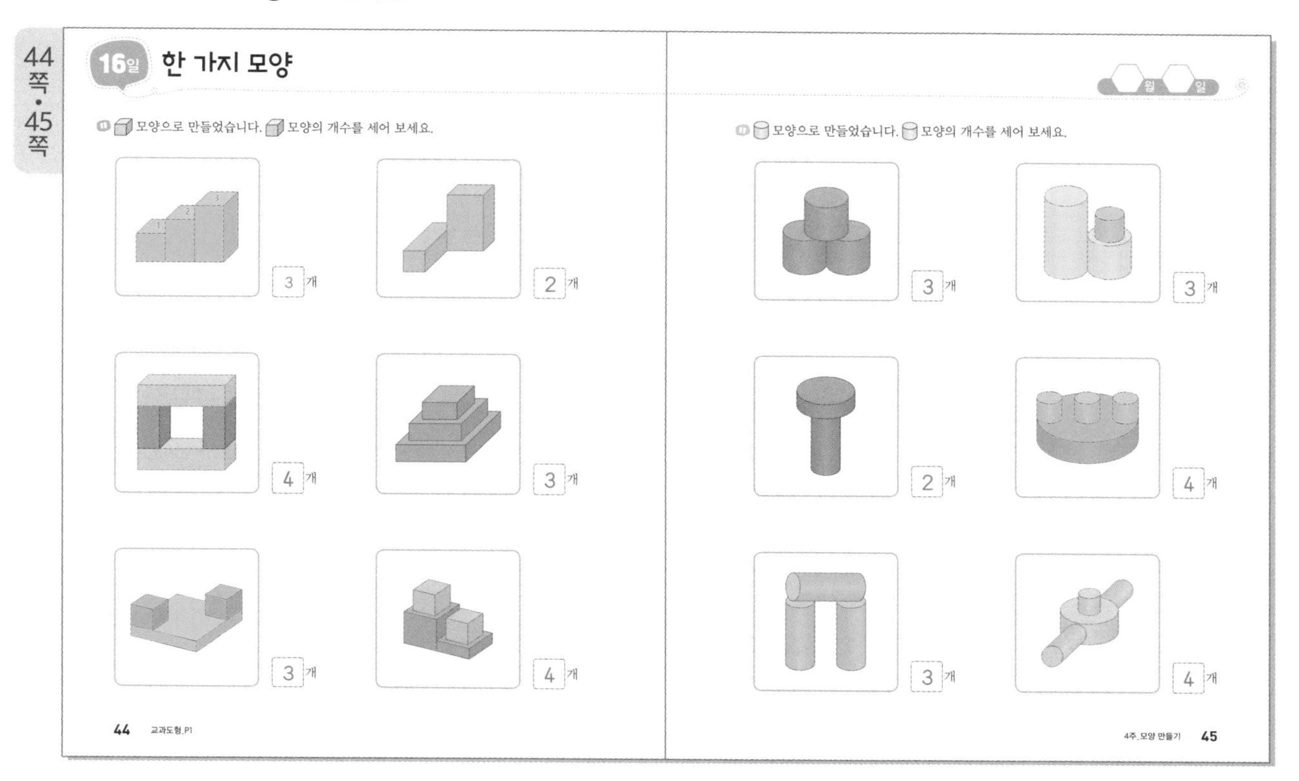


46쪽 • 47쪽

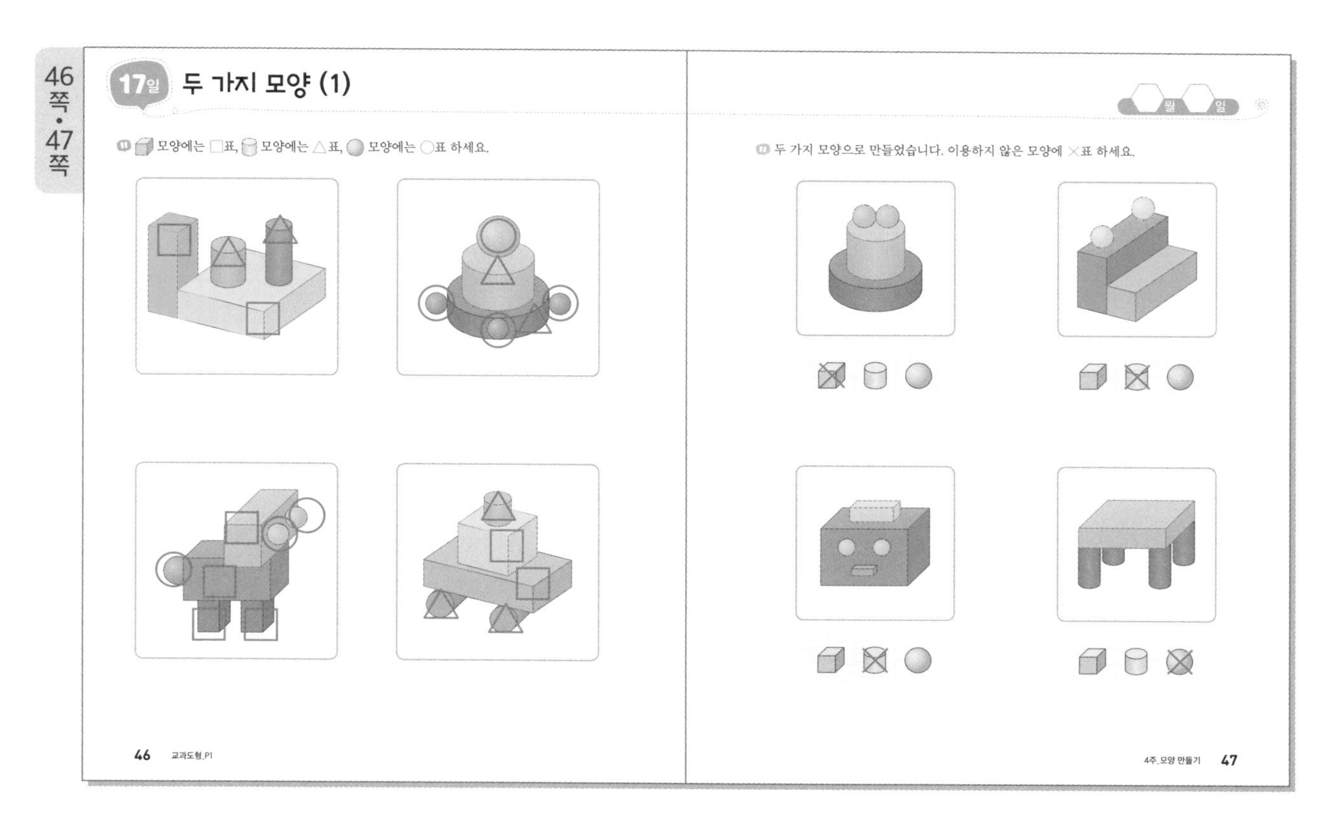

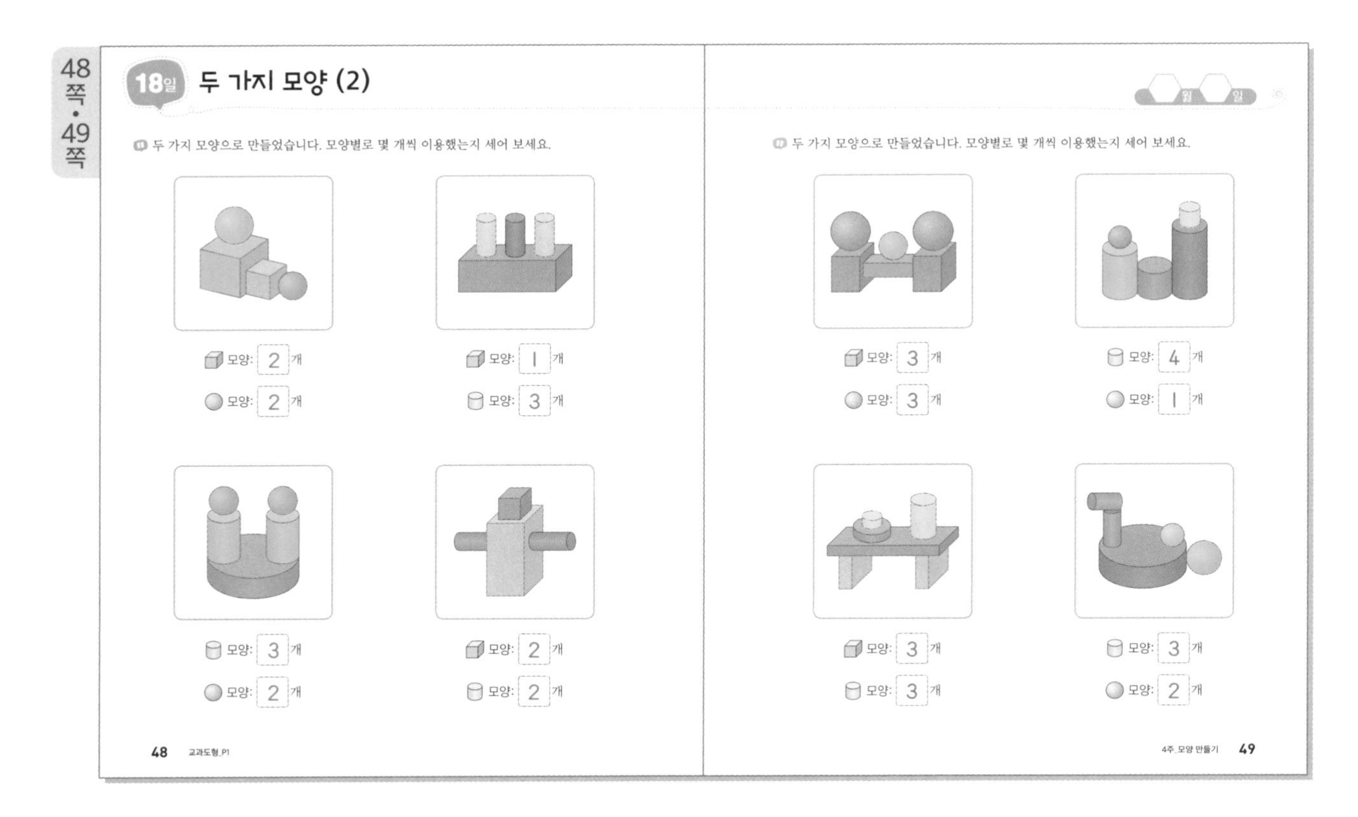
48쪽·49쪽

## 18일 두 가지 모양 (2)

월 일

두 가지 모양으로 만들었습니다. 모양별로 몇 개씩 이용했는지 세어 보세요.

모양: 2 개
모양: 2 개

모양: 1 개
모양: 3 개

모양: 3 개
모양: 2 개

모양: 2 개
모양: 2 개

두 가지 모양으로 만들었습니다. 모양별로 몇 개씩 이용했는지 세어 보세요.

모양: 3 개
모양: 3 개

모양: 4 개
모양: 1 개

모양: 3 개
모양: 3 개

모양: 3 개
모양: 2 개

48 교과도형_P1

4주_모양 만들기 49

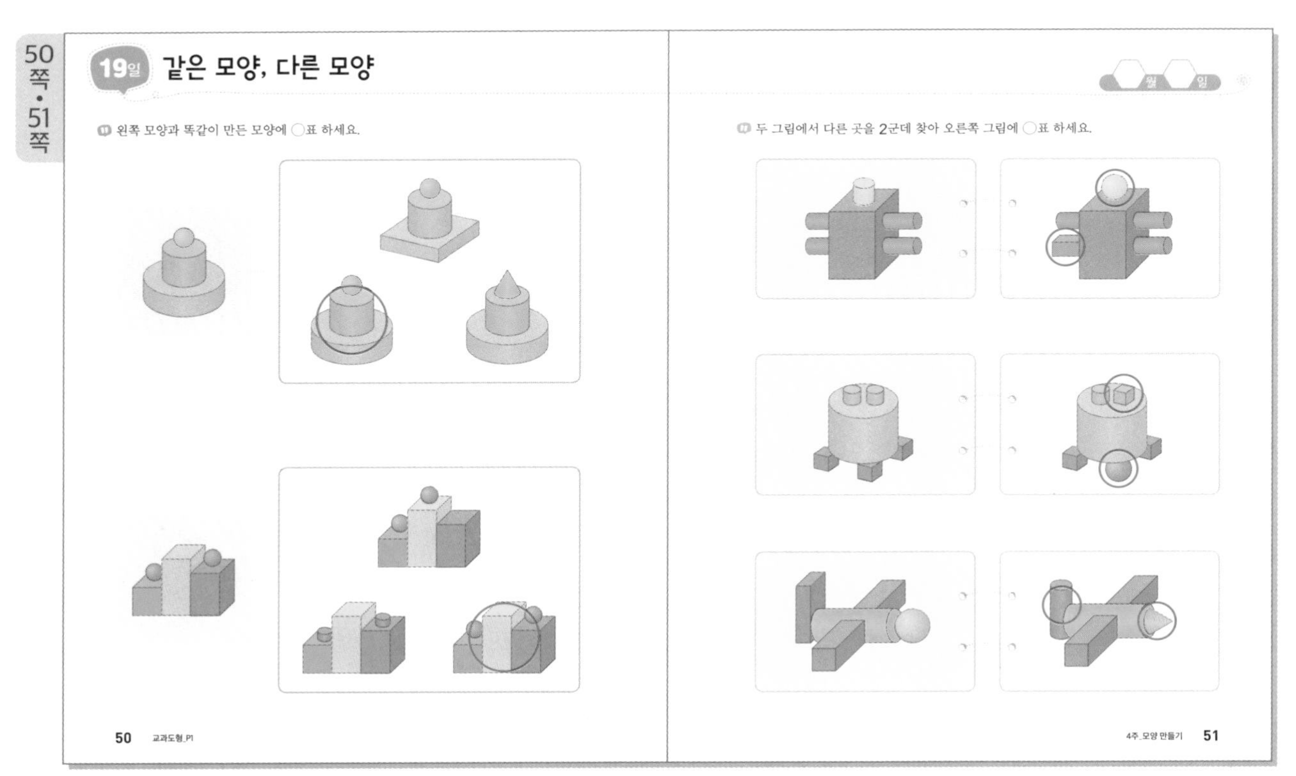
50쪽·51쪽

## 19일 같은 모양, 다른 모양

월 일

왼쪽 모양과 똑같이 만든 모양에 ○표 하세요.

두 그림에서 다른 곳을 2군데 찾아 오른쪽 그림에 ○표 하세요.

50 교과도형_P1

4주_모양 만들기 51

52쪽·53쪽

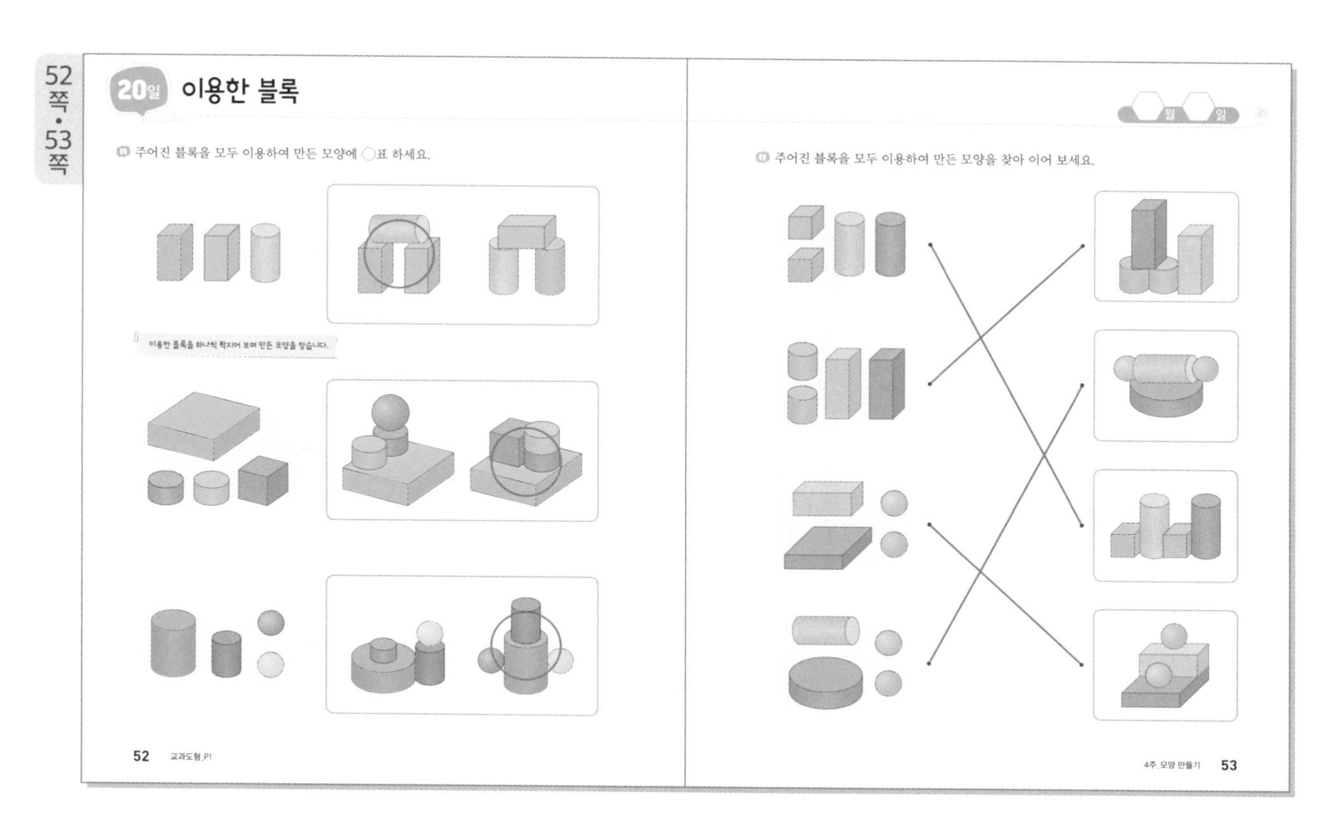
20일 이용한 블록
주어진 블록을 모두 이용하여 만든 모양에 ○표 하세요.
주어진 블록을 모두 이용하여 만든 모양을 찾아 이어 보세요.
52 교과도형_P1
4주. 모양 만들기 53

54쪽

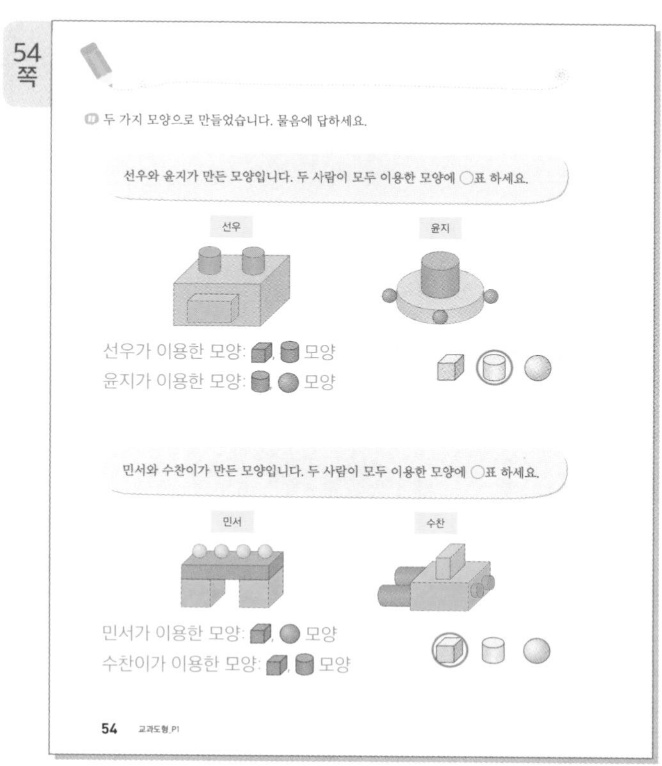
두 가지 모양으로 만들었습니다. 물음에 답하세요.
선우와 윤지가 만든 모양입니다. 두 사람이 모두 이용한 모양에 ○표 하세요.
선우
윤지
선우가 이용한 모양: , 모양
윤지가 이용한 모양: , 모양
민서와 수찬이가 만든 모양입니다. 두 사람이 모두 이용한 모양에 ○표 하세요.
민서
수찬
민서가 이용한 모양: , 모양
수찬이가 이용한 모양: , 모양
54 교과도형_P1

# 도형플러스+ 길 찾기

56쪽 · 57쪽

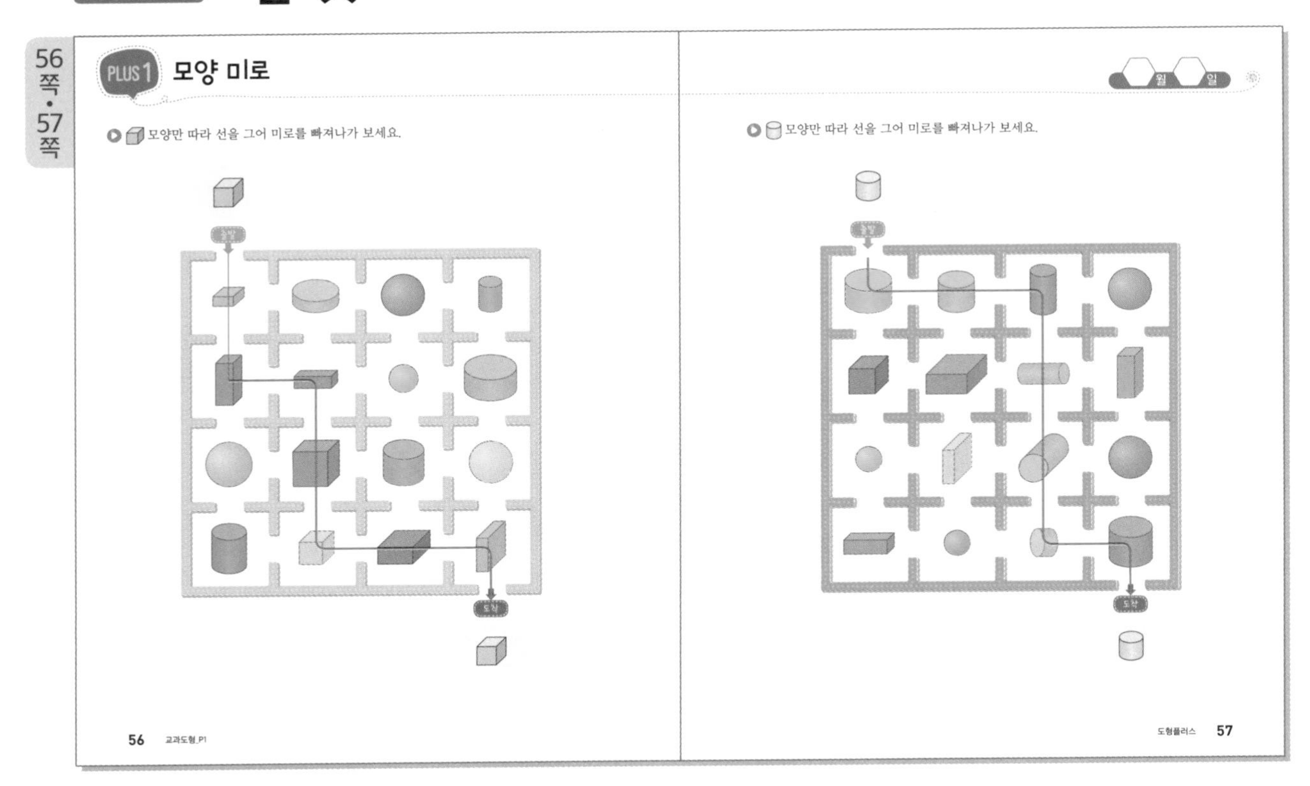


58쪽 · 59쪽

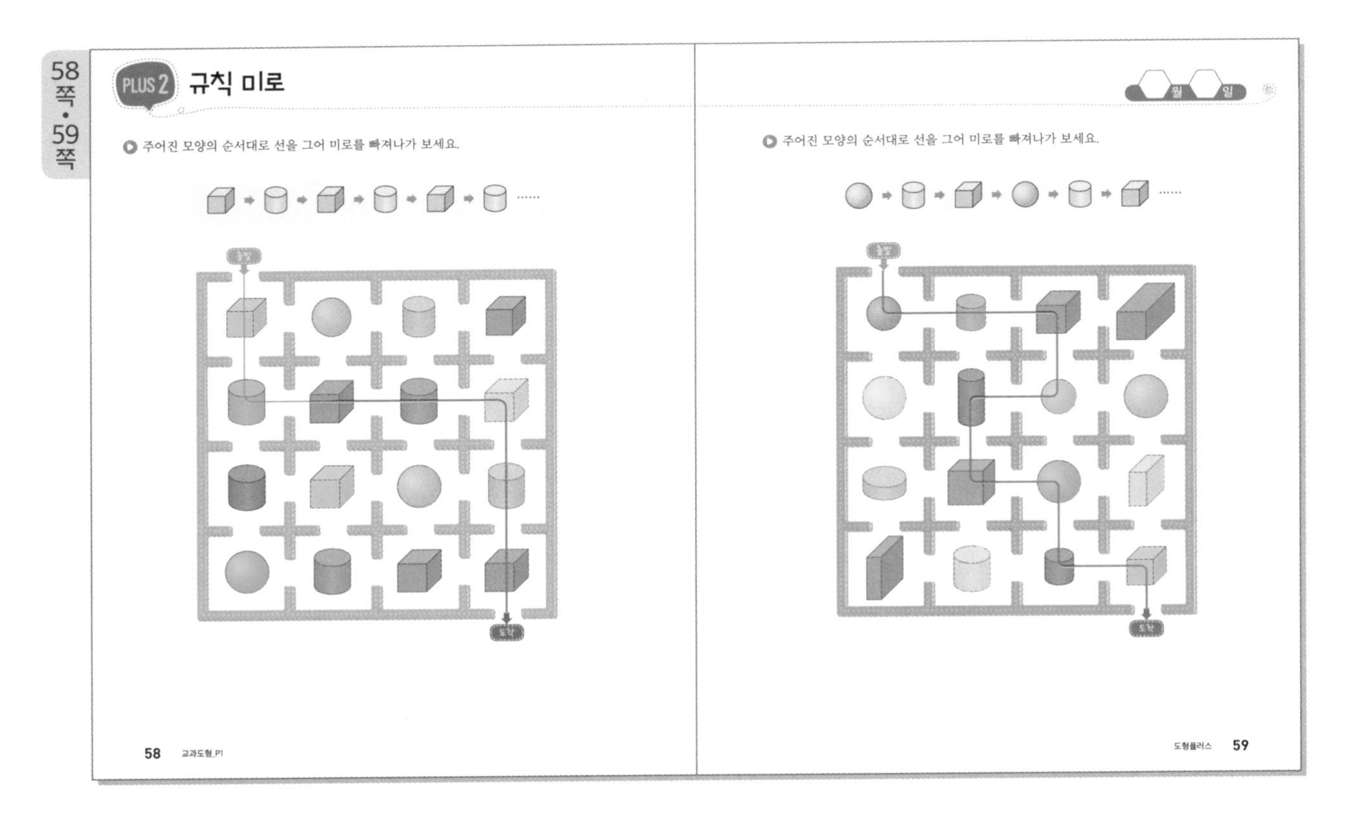

60쪽 · 61쪽

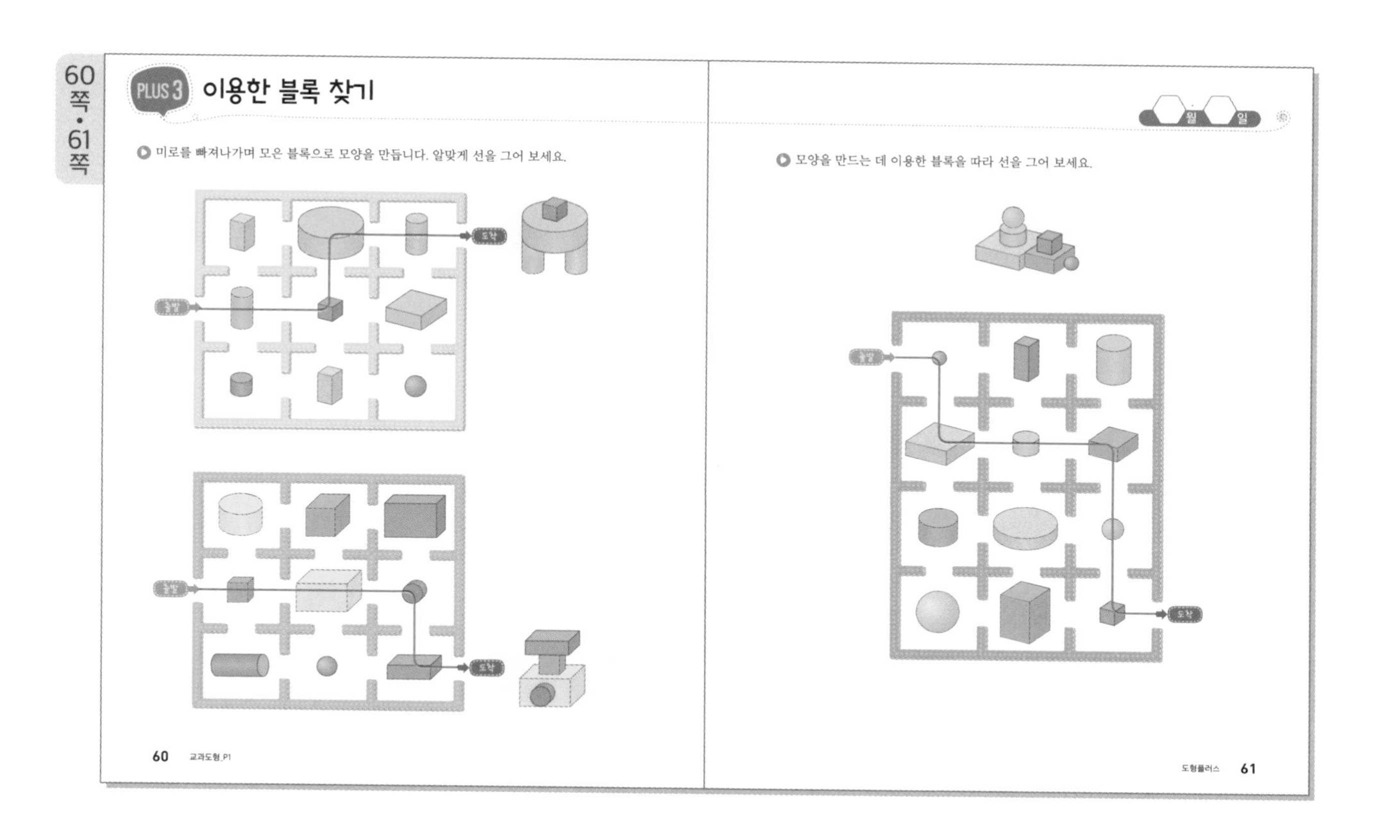
PLUS 3 이용한 블록 찾기
미로를 빠져나가며 모은 블록으로 모양을 만듭니다. 알맞게 선을 그어 보세요.
모양을 만드는 데 이용한 블록을 따라 선을 그어 보세요.
60 교과도형_P1
도형플러스 61

64쪽·65쪽

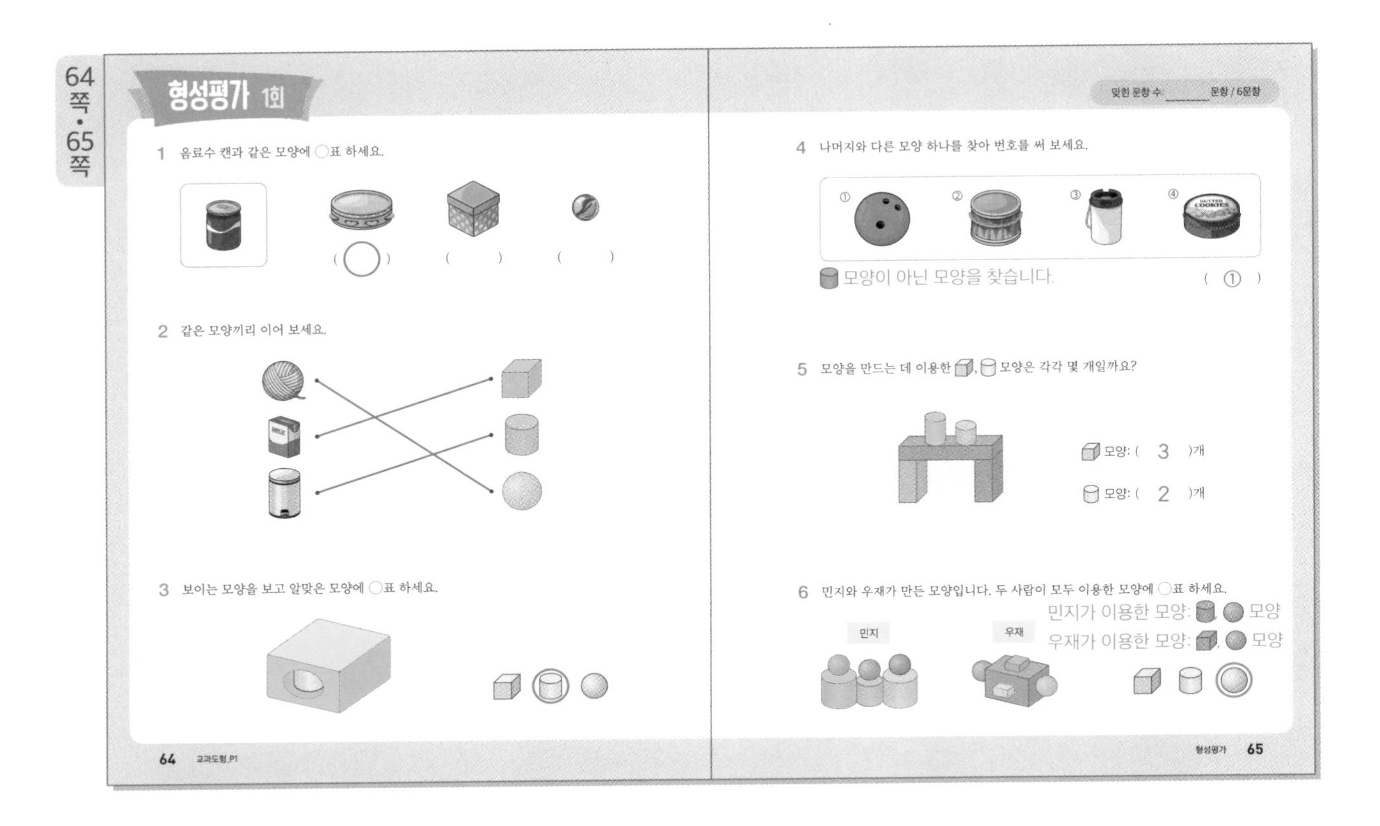
형성평가 1회

맞힌 문항 수: 문항 / 6문항

1 음료수 캔과 같은 모양에 ○표 하세요.

( ○ ) ( ) ( )

2 같은 모양끼리 이어 보세요.

3 보이는 모양을 보고 알맞은 모양에 ○표 하세요.

4 나머지와 다른 모양 하나를 찾아 번호를 써 보세요.

① ② ③ ④

모양이 아닌 모양을 찾습니다. ( ① )

5 모양을 만드는 데 이용한 , 모양은 각각 몇 개일까요?

모양: ( 3 )개

모양: ( 2 )개

6 민지와 우재가 만든 모양입니다. 두 사람이 모두 이용한 모양에 ○표 하세요.

민지가 이용한 모양: , 모양

우재가 이용한 모양: , 모양

민지 우재

64 교과도형_P1

형성평가 65

66쪽·67쪽

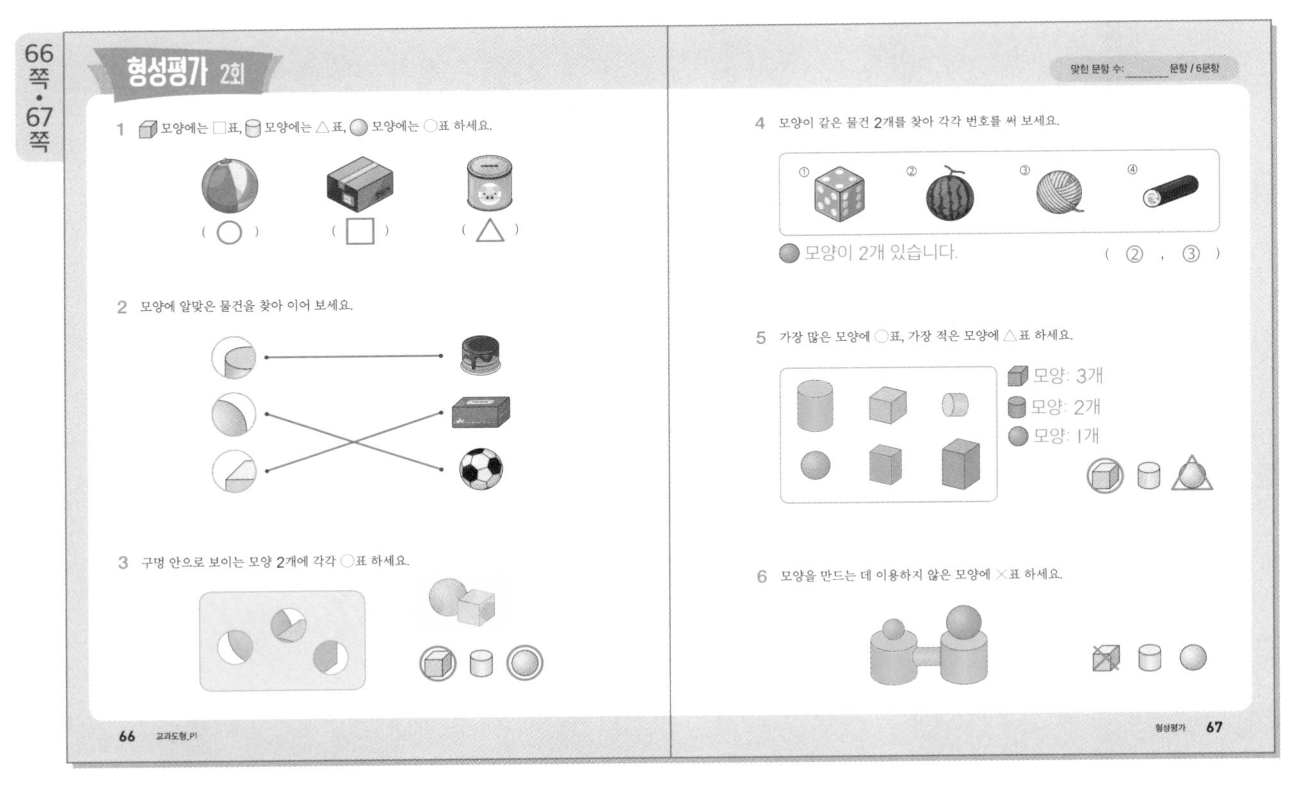
형성평가 2회

맞힌 문항 수: 문항 / 6문항

1 모양에는 □표, 모양에는 △표, 모양에는 ○표 하세요.

( ○ ) ( □ ) ( △ )

2 모양에 알맞은 물건을 찾아 이어 보세요.

3 구멍 안으로 보이는 모양 2개에 각각 ○표 하세요.

4 모양이 같은 물건 2개를 찾아 각각 번호를 써 보세요.

① ② ③ ④

모양이 2개 있습니다. ( ② , ③ )

5 가장 많은 모양에 ○표, 가장 적은 모양에 △표 하세요.

모양: 3개

모양: 2개

모양: 1개

6 모양을 만드는 데 이용하지 않은 모양에 ×표 하세요.

66 교과도형_P1

형성평가 67

하루 한 장 60일 집중 완성 교과도형

# "한 권이면 충분합니다."

도형을 다양한 문장과 그림,
수식으로 표현합니다.

**감각**
sense

도형 학습의 바탕이 되는
공간감각을 길러줍니다.

**표현**
expression

**측정**
measurement

측정을 더하여
도형 학습을 완성합니다.